D1199320

Peinture sur Porcelaine

techniques pour tous

Texte et créations de Colette Lamarque
Dessins de Roland Moser d'après les croquis de l'auteur
Photos de Dominique Farantos

Editions Fleurus, 31, rue de Fleurus 75296 Paris cedex 06

L'auteur remercie vivement les créations Della Torre
et les élèves de son atelier
qui ont participé à la réalisation des objets
présentés dans ce livre.

introduction

Ce livre n'a certes pas la prétention de s'adresser aux décorateurs chevronnés ; il a pour but de faire découvrir le plus simplement possible aux débutants la peinture sur porcelaine, dont ils apprécient la délicatesse et le raffinement.

Tout est mis en œuvre pour faciliter cette initiation et permettre d'obtenir rapidement le résultat "qui fait plaisir", tout en respectant la technique traditionnelle.

Si le chemin à parcourir est long pour parvenir aux réalisations d'admirables décors tels ceux de Meissen ou de Sèvres, dès les premiers pas vous pourrez connaître la satisfaction de réaliser une pièce décorée d'une authentique valeur, "celle d'un travail bien fait".

Précisons tout de suite que ce décor s'effectue sur des pièces de porcelaine déjà émaillée en blanc. (On les trouve couramment dans le commerce) ; les couleurs spéciales utilisées doivent ensuite être cuites à 800° environ.

Alors, n'est-il pas séduisant de décorer des petits objets ou les pièces d'un service de table en porcelaine blanche qui, malgré la beauté du matériau, peuvent sembler un peu froids et impersonnels ? N'est-il pas agréable d'offrir un objet peint tout spécialement, fruit d'un travail passionnant qui fera certainement plaisir ?

Pour cela, une connaissance même succincte de cette admirable matière translucide semble indispensable, ainsi qu'un bref historique de sa fabrication tant en Orient qu'en Occident, puisqu'elle sera l'unique support de nos prochains travaux.

Dans ces pages, de nombreux photos, dessins et croquis guideront vos premiers pas sur le chemin d'une merveilleuse découverte... Elles vous feront connaître les premiers éléments de cette technique artistique en vous réservant des heures privilégiées dont le résultat, sans nul doute, récompensera votre patience et votre minutie, qualités indispensables pour cette activité aux ressources inépuisables.

Après ces premiers essais, vous aurez ensuite la joie de créer en réalisant graphisme et illustrations au gré de votre fantaisie.

Ajoutons enfin que le décor sur porcelaine offre un réel avantage par rapport à bien d'autres techniques : toutes les erreurs sont autorisées jusqu'à la mise au four, car le travail peut être "essuyé" sans laisser de trace !

Aussi n'hésitez pas à refaire un décor si ce que vous avez réalisé ne vous satisfait pas, et 20 fois sur le métier, remettez votre ouvrage...

Courage ! le résultat final vous récompensera largement de ces efforts.

QU'EST-CE QUE LA PORCELAINE ?

La pâte à porcelaine est composée d'un mélange qui comporte principalement une argile blanche très pure, le kaolin (Kaôling étant le nom de la colline située près de la grande fabrique chinoise King-to-tchen, qu'elle alimentait) du quartz et du felspath.

Mélangés, broyés, ces éléments se présentent sous forme d'une poudre blanche qui sera mélangée avec de l'eau. La pâte plastique obtenue sera tournée ou modelée.

Plus liquide, appelée barbotine, elle sera coulée dans des moules de plâtre.

Après séchage, les pièces obtenues subissent une première cuisson à une température de 900° environ. Sortant du four, elles ont un aspect rugueux, mat et poreux : c'est le "biscuit" (*).

Il est alors recouvert d'une couche d'enduit vitrifiable, glaçure ou couverte, qui cuit à une haute température de 1 400° ; elle donnera à la porcelaine un aspect blanc, brillant ou velouté d'une parfaite étanchéité, que nous aurons grand plaisir à décorer.

(*) Biscuit : nom maintenant impropre car il signifie "deux fois cuit". Cette appellation remonte à la fabrication de la porcelaine tendre où la terre était déjà cuite une première fois avant d'être réduite en poudre et une seconde dans sa forme.

Sachant qu'il existe deux sortes de pâte à porcelaine, nous exclurons volontairement la porcelaine tendre pour n'employer que la porcelaine dure, qui sert à fabriquer les objets vendus dans le commerce.

RAPIDE HISTORIQUE

Du mot italien évoquant un coquillage, porcella, le plus noble des produits céramiques vit le jour en Chine vers l'an 800 ; il nous fut rapporté, dit-on, par le voyageur vénitien Marco Polo à la fin du XIIIe siècle.

Dès son apparition en Europe, il y a eu un engouement extraordinaire pour "l'or blanc" dont la beauté translucide excitait la convoitise.

En Europe, jusqu'en 1700 environ, la composition de la pâte à porcelaine resta inconnue ; ce secret la rendait d'autant plus désirable et précieuse. D'ailleurs les objets de porcelaine s'offraient entre Maisons souveraines.

Néanmoins, tout en étant très recherchés, les arrivages d'Orient se firent de plus en plus nombreux.

Les rois semblaient très pressés de percer cet arcane si bien gardé et il appartenait aux alchimistes d'en découvrir la composition. On raconte que certains furent enfermés pour mieux se consacrer à cette étude.

Puis enfin, vers 1700 en Allemagne, la collaboration du savant physicien et mathématicien, le baron von Tschirhnausen, et d'un "faiseur d'or" à la cour de l'électeur de Saxe, Johann Friedrich Böttger, permit d'atteindre le but.

Après la découverte d'un gisement de kaolin en 1709, la première manufacture de porcelaine dure fut créée à Meissen (Saxe).

Les porcelaines de Böttger imitaient alors les décors chinois. Puis, de nouveaux motifs furent ensuite créés et évoluèrent très vite. Ils sont encore très appréciés de nos jours après avoir été souvent imités.

Pendant ce temps, la France faisait ces mêmes recherches et trouva le moyen de travailler une porcelaine artificielle — ou "porcelaine tendre" — appelée ainsi car elle se rayait au couteau. Composée de terre blanche et de substances vitrifiables, elle connut un grand succès.

Si les premiers résultats furent obtenus à Rouen par les frères Potterat vers 1670, ce sont les porcelaines de Vincennes qui, par la beauté de leur décor, font l'objet de toute notre admiration.

Le secret de la composition de la pâte à porcelaine dure étant dévoilé, il fallait trouver le kaolin en France également ; ce fut à Saint-Yriex, en 1768, près de Limoges, que fut trouvé le gisement qui permit aussitôt de fabriquer la première porcelaine dure française tant attendue.

généralités

LE SUPPORT : LE BLANC

Rappelons que le décor que nous peignons se réalise sur porcelaine, pâte dure recouverte de glaçure qui donne son aspect lisse, brillant et très blanc, d'où le nom des objets que vous vous procurerez : la **porcelaine blanche.** Son utilisation sans décor revient périodiquement en vogue.

Elle a déjà subi 2 cuissons : celle de la pâte (biscuit) et celle de l'émail.

Les objets "en blanc" se trouvent très facilement dans les grands magasins, dans les boutiques spécialisées et sur les marchés.

Si les blancs de "1er choix" doivent être impeccables, ceux des 2e et 3e choix présentent des défauts, soit dans la forme, soit dans la glaçure : déformation, manque d'émaillage, points noirs ou bruns, etc. Il est indispensable d'examiner avec soin les pièces avant l'achat.

Parfois les petits défauts peuvent être cachés. A Meissen, certains décors (décor mille insectes, par exemple) furent créés dans ce but. Eviter toutefois d'acquérir des objets fêlés ou ébréchés qui vous procureront de mauvaises surprises après cuisson, en se brisant ou en aggravant le défaut.

QUE DECORER ?

La liste est inépuisable, de la miniature à la grosse potiche, en passant par les objets utilitaires ou décoratifs, il vous appartient de faire un choix en commençant tout de même par un objet ni trop petit, ni trop grand afin de ne pas augmenter la difficulté. Un objet de forme très simple sera souhaitable. Une surface plane sera également plus aisée à décorer : une petite assiette par exemple.

Sachez aussi que les formes tarabiscotées, associées à un décor sont souvent de mauvais goût, tandis qu'une ligne dépouillée mettra en valeur votre travail. Vous pourrez donc faire facilement un choix parmi les objets divers que propose le commerce, tels : cendriers, assiettes et service, tasses, boîtes, pots, vases et pieds de lampes, de toutes tailles et de toutes formes, terrines et gadgets, miniatures pour vitrines ou pour maison de poupée, etc.

LE COIN-TRAVAIL

Le décor sur porcelaine offre le grand avantage, par rapport à de nombreuses techniques, de pouvoir être effectué en utilisant un minimum de place et de matériel.

Une **table ou planche sur tréteau,** située dans

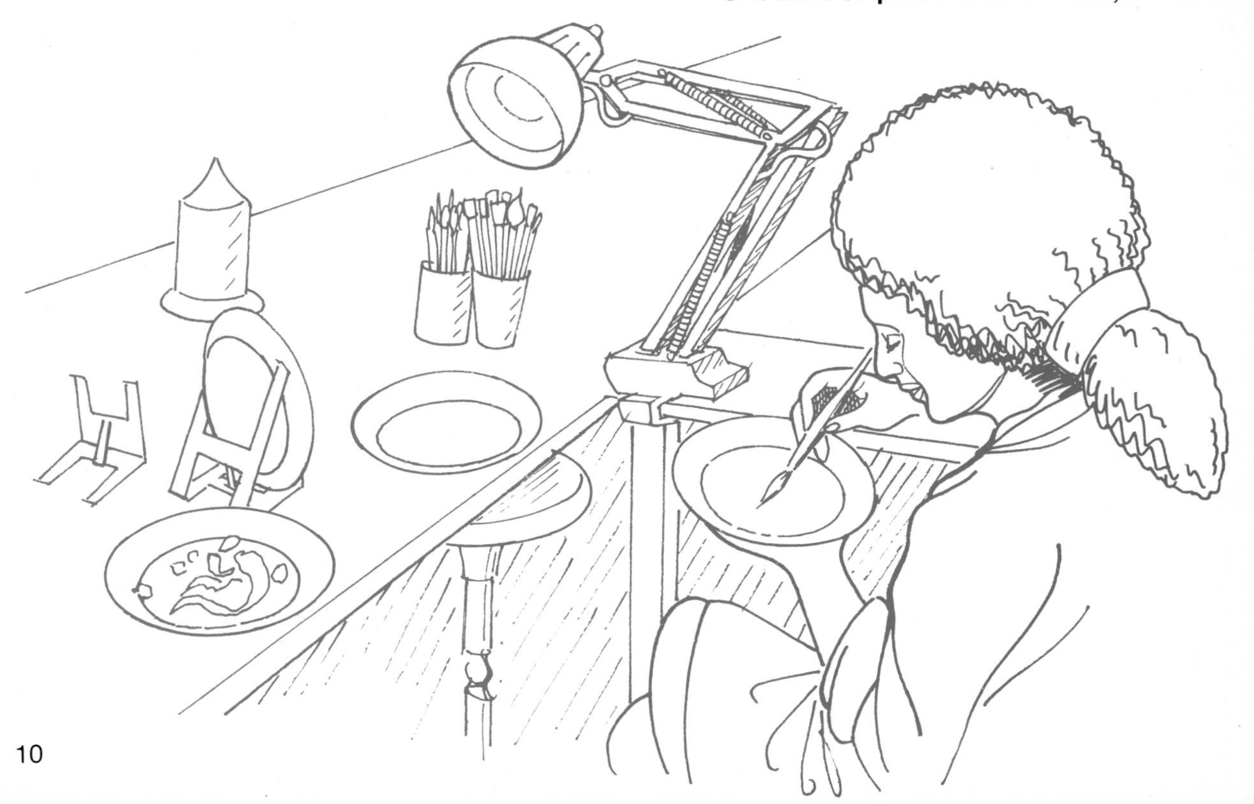

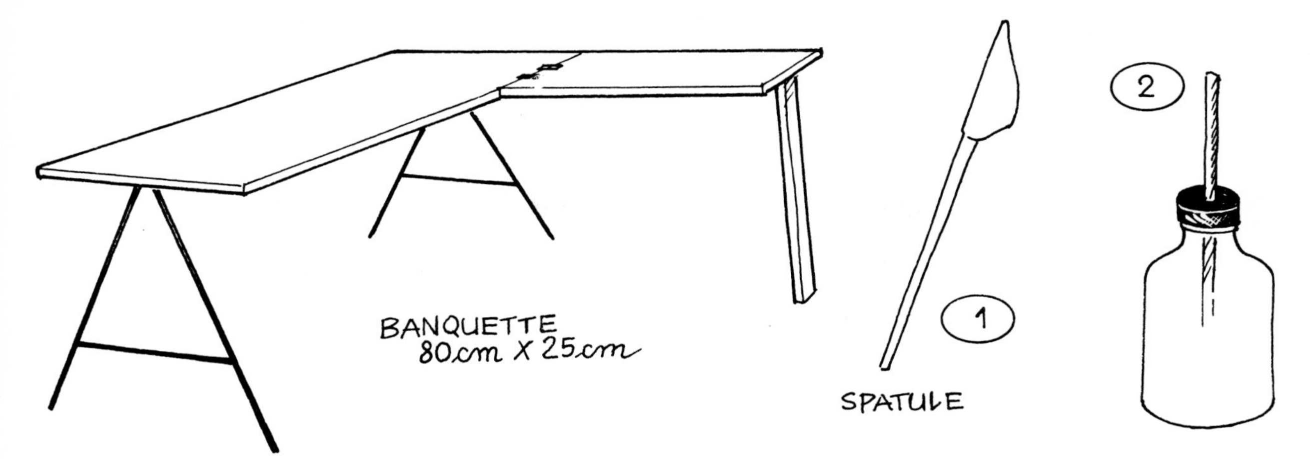

un coin bien éclairé, et un siège à bonne hauteur suffiront pour débuter.

Ensuite, vous pourrez ajouter une banquette telle qu'elle existe dans les ateliers de décoration. Vous y poserez l'avant-bras pour travailler avec plus de sûreté de main. Cette planchette, si la table le permet, sera fixée soit par des charnières, soit par des vis papillons (s'il s'agit d'une planche). Voir dessin.

L'**éclairage** viendra de préférence de gauche et ne sera pas trop violent, qu'il soit électrique ou naturel, pour éviter le miroitement et l'éblouissement. La poussière devra être évitée à tout prix.

MATERIEL

Pour décor avec cuisson à 800°.

Nous donnons ci-dessous une liste indiquant le matériel nécessaire pour les différentes étapes du travail de décoration. Pour certains éléments, nous donnerons des précisions complémentaires dans les paragraphes suivants.

NETTOYAGE DES PIECES

- Produit pour nettoyer la vaisselle.
- Alcool à brûler ou acétone (ou simplement un chiffon propre non pelucheux).

DESSIN

- Crayon gras pour verre (all Stabilo par exemple).
- Poncif.
- Papier-calque léger.
- Aiguille et poudre à poncer.
- Papier de verre ou papier carbone non gras (papier graphite).

PREPARATION DES COULEURS

- Couleurs vitrifiables en poudre (*).
- Spatule (voir croquis 1).
- Essence de térébenthine. Pour l'utiliser plus facilement la mettre dans un flacon avec bouchon compte-gouttes.
- Essence grasse (**). La verser dans un flacon fermé d'un couvercle percé d'un bâtonnet pour en faciliter la prise (croquis 2).
- Morceau de sucre ou un peu de sucre en poudre.
- Plaque de verre et carreau de faïence émaillée.
- Chiffon de fil de préférence.
- Godets (ou pots de verre).
- Essence de girofle, d'aspic ou de lavande (*).

LES COULEURS

Avant tout, il faut savoir que les couleurs utilisées pour la décoration sur porcelaine sont différentes de celles employées par les céramistes.

Les couleurs à peindre sur émail cuit — faïence ou porcelaine — sont appelées **couleurs vitrifiables.** Elles se composent d'un

(*) S'achètent dans les magasins spécialisés en fournitures pour travaux manuels.
(**) S'achète dans les magasins de couleurs.

colorant : l'oxyde métallique, et d'une matière fusible : le fondant.

Elles doivent subir une cuisson aux environs de 800° dans un four appelé moufle — et parfois une seconde aux environs de 700°.

S'il existe maintenant dans le commerce des couleurs préparées en tube, en pastille ou en pot, nous parlerons tout spécialement des poudres à la base de toutes et que vous préparerez vous-mêmes.

Si **la poudre** ne se vend qu'en certaine quantité par les fabricants, elle se trouve présentée en petits sachets de 5 g dans les magasins spécialisés. Très peu de poudre étant utilisé au cours d'un décor, cette quantité vous fera un long usage.

Les prix varient selon la composition des couleurs ; les pourpres, carmin, violets à base d'or sont beaucoup plus onéreux que les bleus par exemple.

Certains coloris changeant fortement après cuisson, il sera nécessaire d'acheter selon la palette que vous présentera le vendeur, et non selon la couleur de la poudre. A vous d'en noter les références.

Avec la fabrication actuelle, les poudres (à l'exception des rouges) sont miscibles entre elles ; toutefois, il est recommandé de faire des essais avec cuisson pour s'en assurer.

Bleu et pourpre = violet foncé.
Bleu et carmin = violet clair.
Vert chrome et jaune = vert jaune.

Il est donc inutile d'acheter un grand nombre de couleurs, pour commencer, une douzaine suffiront très largement : carmin, pourpre, jaune d'or, brun jaune, vert de chrome, vert Empire, bleu moyen ou outremer, bitume, noir, rouge indien ou capucine (rouge de fer).

Et en plus, mais de manière facultative : gris et blanc relief.

DECORATION

- Pinceaux. Il en faut de différents modèles (voir plus loin).
- Plume demi-dure.
- Grattoir et bâtonnet.
- Vernis de réserve.
- Une tournette pour faire les filets (voir description et emploi page 54).
- Or liquide (facultatif) en flacon de 5 ou 10 g. Le prix d'achat en est très élevé, il suit le cours de l'or.

LES PINCEAUX

La très bonne qualité de ces pinceaux est indispensable. Seuls, d'excellents pinceaux permettront un travail satisfaisant ; ils faciliteront la réalisation du décor et seront un réel facteur de réussite.

Les pinceaux **petit-gris,** montés sur plume ou sur métal sont à conseiller. La hampe (que l'on ajoute dans le premier cas) doit être légère.

Les pinceaux de **martre** très chers ne sont pas nécessaires.

En général on utilisera les modèles suivants :

Pinceaux à modeler (grains de blé) (1).

Pinceaux à cerner (2).

Pinceaux longs à décorer (3).

Pinceaux à filets (sifflets) (4).

Pinceaux à bande (5).

Pinceaux "queue de morue" pour les fonds (6).

Pinceaux à putoiser (7). Ce même travail s'effectuera aussi parfois avec un morceau de mousse synthétique.

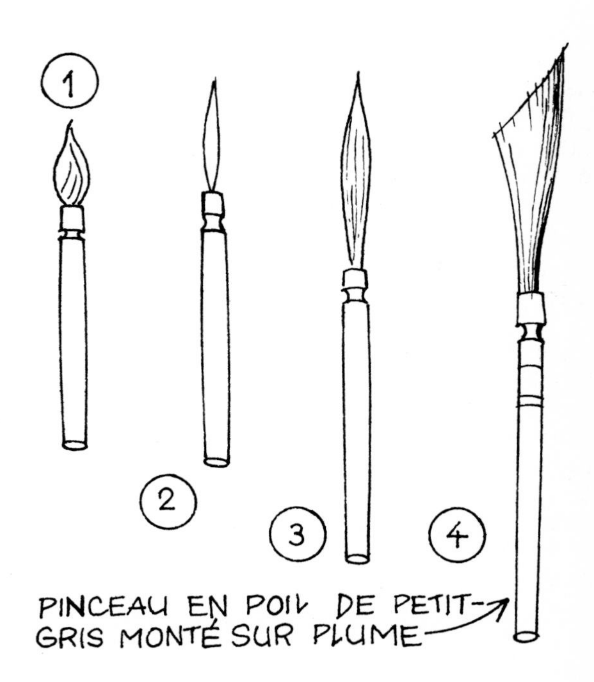

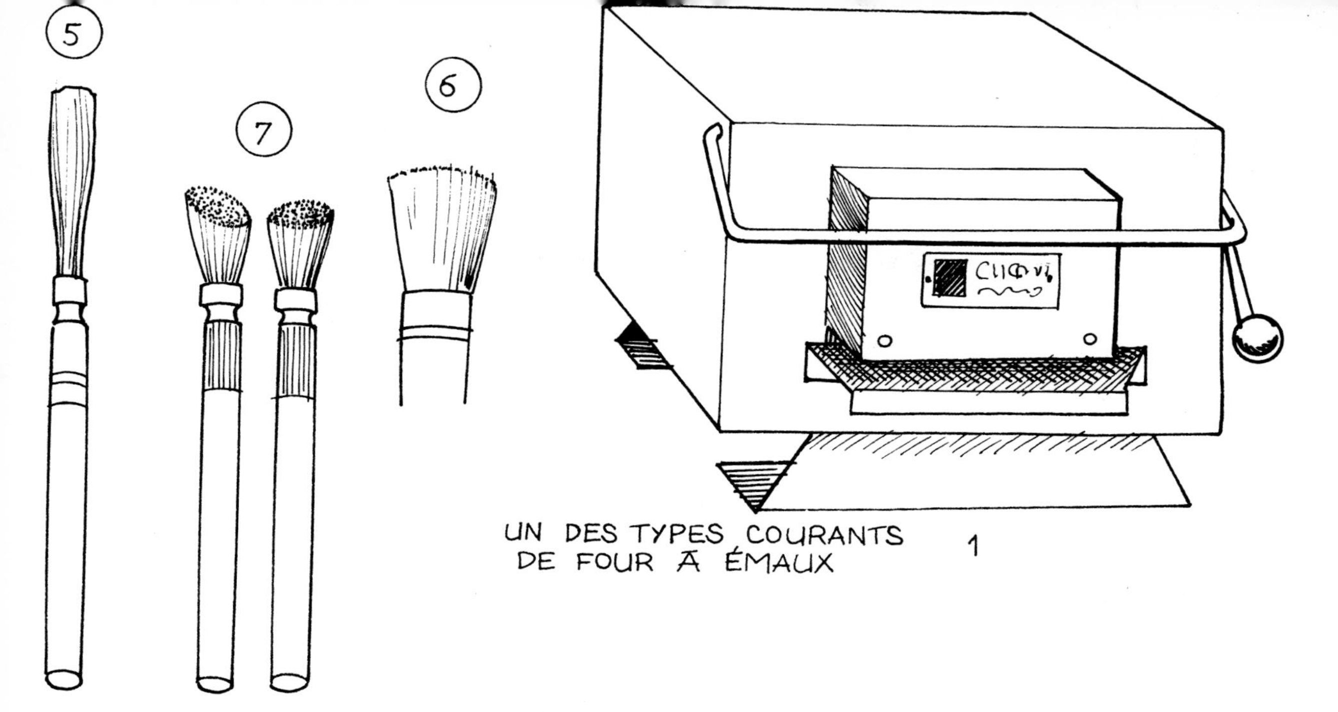

UN DES TYPES COURANTS DE FOUR À ÉMAUX 1

Bien entretenus les pinceaux feront un bon usage. Pour cela les nettoyer avec de l'essence de térébenthine après chaque emploi ; ils peuvent aussi être trempés quelques instants dans l'alcool à brûler. Laver ensuite à l'eau savonneuse et bien rincer.

CUISSON

Comme cela a déjà été dit, les couleurs employées dans la méthode traditionnelle doivent, pour atteindre leur meilleure intensité, subir une cuisson s'élevant aux environs de 800°. C'est la température à laquelle se produit le phénomène de vitrification au point de fusion de l'émail.

Une 2e cuisson aux environs de 700° est souvent nécessaire (cuisson de l'or, par exemple).

Pour ces opérations de première importance, un four est donc nécessaire. Cet achat étant assez onéreux, au moins dans les débuts, il est souvent possible de donner les pièces à cuire à un céramiste. Parfois même certains magasins de fournitures pour travaux manuels très spécialisés se chargent de cette opération, moyennant une rétribution raisonnable.

Si toutefois vous désirez acquérir un four, sachez qu'il en existe de 2 types ; on les trouve en différents modèles et dimensions.

LE FOUR A EMAUX

Du type employé pour la cuisson des émaux sur cuivre (1). Il est utilisable seulement pour les toutes petites pièces, il est intéressant pour :

son encombrement réduit,

son branchement fait sur une prise de courant ordinaire 220 V,

son prix minime par rapport aux autres fours,

la rapidité de la cuisson qu'il permet de réaliser.

Dans un four de ce type, l'enfournement doit être fait à la température souhaitée, atteinte en moins d'une heure.

Dans ces conditions, il est nécessaire de prendre quelques précautions : **gant d'amiante, pince d'enfournement,** (2 page 14) ou **palette** (3).

Une **grille** ou petite plaque de brique réfractaire est installée pour recevoir l'objet que l'on enfourne progressivement en l'introduisant quelques instants seulement, à plusieurs reprises, afin qu'il ne chauffe pas trop rapidement. Puis le poser sur la plaque. Fermer la porte et laisser cuire 2 à 3 minutes.

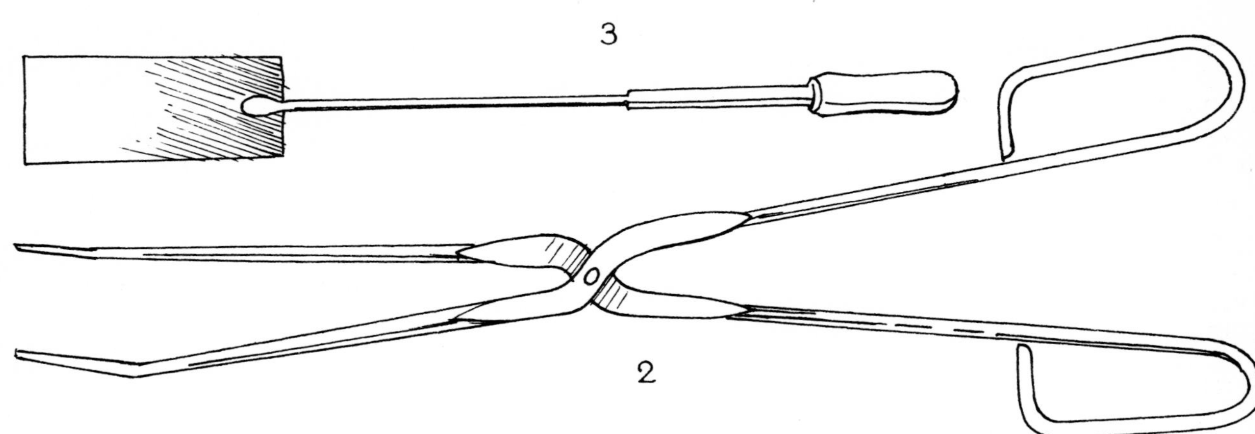

Pendant ce temps de cuisson, l'objet subit des transformations spectaculaires avant d'atteindre le degré de cuisson nécessaire, d'abord les couleurs changent, deviennent mates puis rougeoyantes et brillantes.

Après refroidissement, le décor doit retrouver les coloris souhaités, transformés par la magie du feu.

Si les couleurs sont mates, la cuisson est insuffisante et vous devez recommencer la cuisson en insistant davantage.

Si la couleur est "passée", la cuisson a été trop forte. Vous pouvez remettre un peu de couleur et faire recuire.

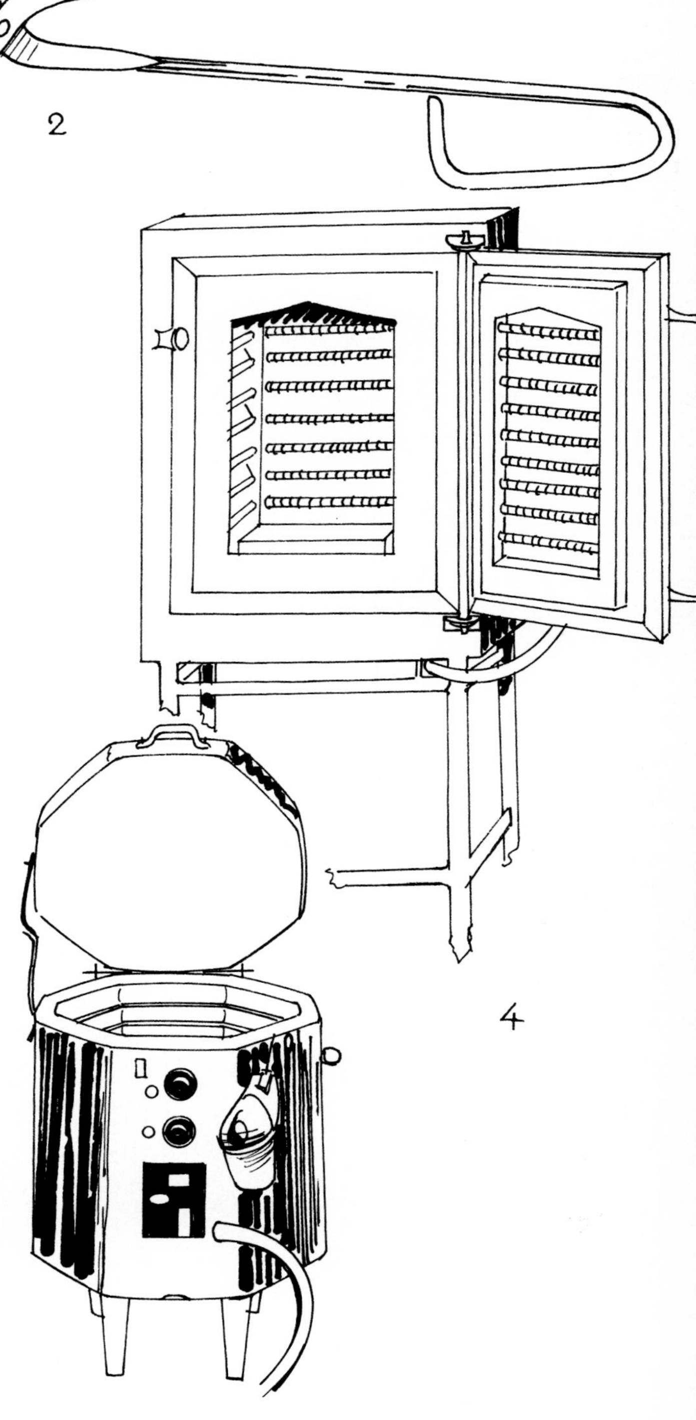

LE FOUR A CERAMIQUE APPELE "MOUFLE"

Cubique à enfournement horizontal (4), cylindrique ou vertical, il se compose d'une carcasse métallique qui renferme une chambre de chaleur et des résistances.

Selon le modèle, les fours fonctionnent sur le courant ordinaire ou sur le courant force.

La montée à température souhaitée, la cuisson et le refroidissement demandent en général de longues heures ; la durée varie selon la fabrication et la dimension.

MATERIEL D'ENFOURNEMENT

Le chargement d'un four est un véritable jeu d'encastrement. Il doit se faire d'une façon rationnelle, avec méthode et sans précipitation. Peu à peu vous acquerrez l'expérience qui permettra d'utiliser au mieux le volume de la chambre.

Les différentes pièces ne devant pas se toucher, vous aurez recours au matériel d'enfournement :

- Plaques montées sur quilles à emboîtement.
- Etagères, théâtre pour assiettes.
- Echelles pour carreaux.
- Pattes de coq et trépieds permettent de placer les objets les uns au-dessus des autres, sans qu'il y ait contact entre eux.

Le fabricant vous donnera toutes les indications utiles à la bonne marche de son appareil.

Ajoutons toutefois que la pratique de la cuisson et d'un enfournement correct et rationnel demande un certain entraînement ; les faire avec l'aide de spécialistes avant de pratiquer seul, vous éviterez ainsi de mauvaises surprises.

Si les arts du feu présentent des aléas et des difficultés (changement de couleur ou écaillage), ils donnent aux couleurs leurs qualités, très appréciées, de brillance et de solidité. L'ouverture de chaque four est donc toujours attendue avec suspens malgré l'expérience de la cuisson que l'on peut avoir.

technique générale

NETTOYAGE DES OBJETS

Il faut travailler sur des pièces de porcelaine parfaitement propres, ce qui est généralement le cas lorsque l'on achète des pièces dans une boutique spécialisée. Par contre, si on achète sur un marché, ou ailleurs, les pièces peuvent être salies ou souillées. On les lavera donc comme de la vaisselle, dans une eau additionnée d'un produit courant. Si les souillures tiennent, utiliser de l'acétone ou de l'alcool à brûler.

LE DESSIN

La première étape consiste à préparer ou à choisir le dessin d'un motif en fonction de la forme de l'objet à décorer, puis de reporter ce motif sur la pièce elle-même.

Cette étape du tracé valable pour les premiers essais peut être supprimée lorsque, devenu plus habile, vous travaillerez directement pour effectuer certains décors.

Pour certains autres, au contraire, il sera absolument nécessaire de faire un dessin extrêmement précis. Les traces de crayon et fusain disparaîtront à la cuisson.

Il existe plusieurs possibilités.

DESSIN DIRECT

Il existe dans les magasins de matériel de dessin, des crayons écrivant sur verre, céramique, etc. les "all Stabilo" ou "Glasochrom". Avec ce type de crayon, la pièce étant bien nettoyée préalablement, tracer directement avec légèreté le motif désiré (croquis 1).

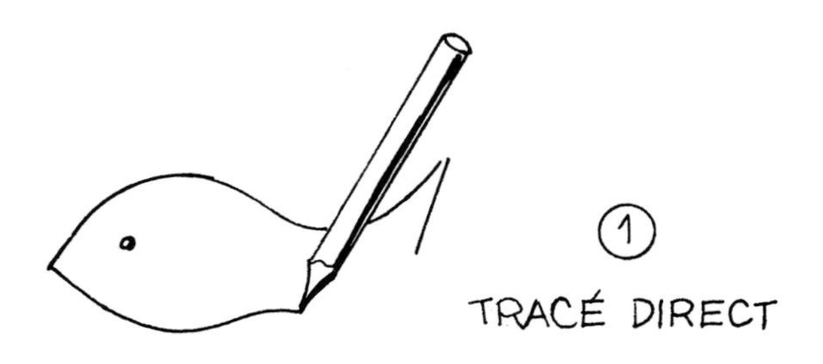

Si vous ne possédez pas un crayon semblable, frotter la porcelaine avec un chiffon imbibé d'essence de térébenthine et utiliser un crayon ordinaire assez gras (*).

REPORT AU CALQUE

Si vous n'osez pas travailler directement, faites votre dessin sur papier-calque (2) et le retracer au dos avec un crayon gras (3).

Fixer le calque sur l'objet avec du ruban adhésif.

Repasser le trait avec un crayon normal bien pointu (4).

Si votre dessin n'a pas de sens recto-verso, dessiner tout de suite avec le crayon gras et poser cette face sur la porcelaine.

Retracer sur l'envers au crayon normal et le dessin dans ce cas sera inversé (5).

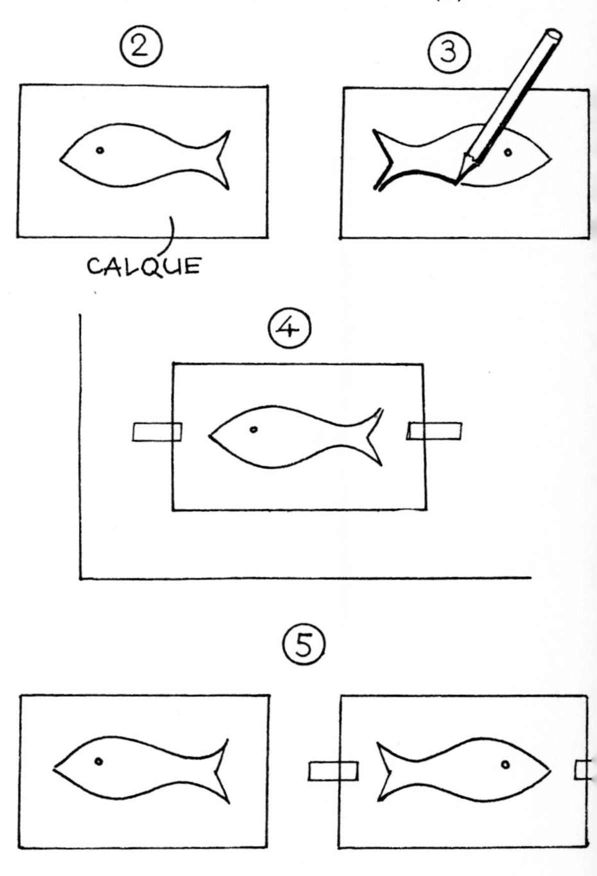

REPORT AU CARBONE

Il est également possible d'utiliser un papier carbone non gras (le papier graphite) intercalé entre le modèle et la porcelaine. En ce

(*) Attention, dans ce cas il ne sera pas possible d'utiliser le tracé à la plume avec eau et sucre.

cas reproduire le tracé avec une pointe fine en appuyant légèrement.

COMMENT TRACER UN TRAIT TOUT AUTOUR D'UN OBJET ?

Pour guider un filet, limiter une bande ou un décor, il est nécessaire de tracer une ou plusieurs lignes à égale distance du bord, sur tout leur parcours (6).

Soutenir l'objet de la main gauche (si vous êtes droitier), en tenant le crayon gras entre le pouce et l'index droits, faire glisser le majeur tout autour de l'objet (7).

Plus le trait sera près du bord, plus les doigts se rapprocheront de la mine.

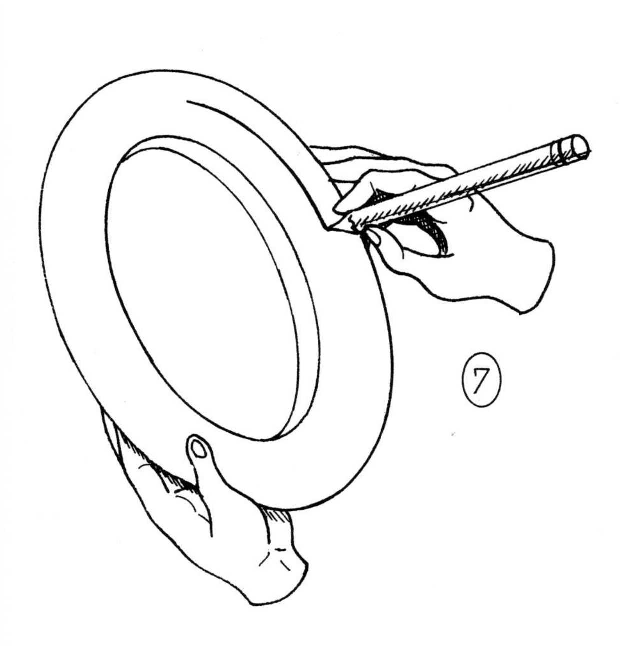

LE PONCIF

Voici une autre méthode pour reporter un dessin sur un objet ; elle est particulièrement intéressante pour reproduire facilement et rapidement des motifs à répétition ou des tracés identiques sur de nombreux objets, et ce avec une grande précision.

MATERIEL

- *Papier-calque léger.*
- *Une piquette faite d'une aiguille fine introduite, pointe en bas, dans un bouchon de liège (1).*
- *Un rectangle de feutre ou tissu épais.*
- *De la poudre obtenue en frottant un fusain sur un papier de verre fin (2).*
- *Une poncette réalisée en enroulant une petite bande de tissu sur elle-même (3).*

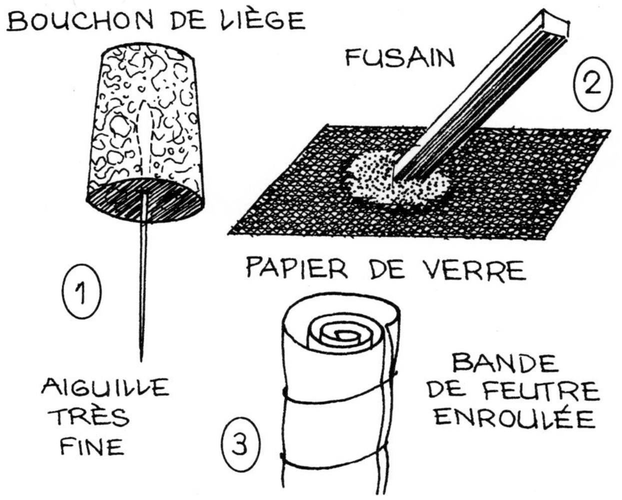

Dessiner très nettement le contour sur papier-calque (4).

Poser le calque sur le feutre (5).

Perforer régulièrement le calque tous les 2 mm en suivant minutieusement le dessin (6 page 20).

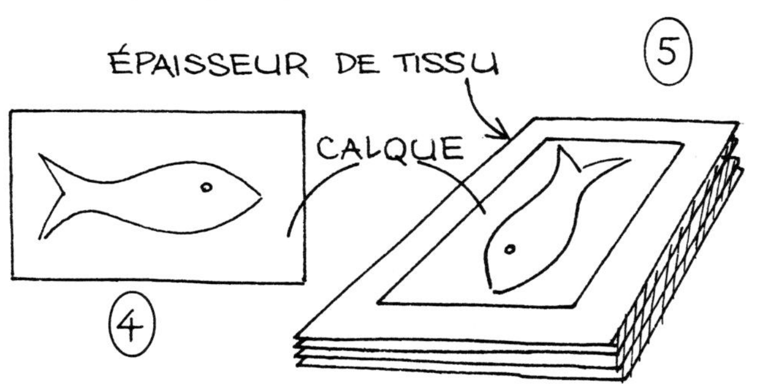

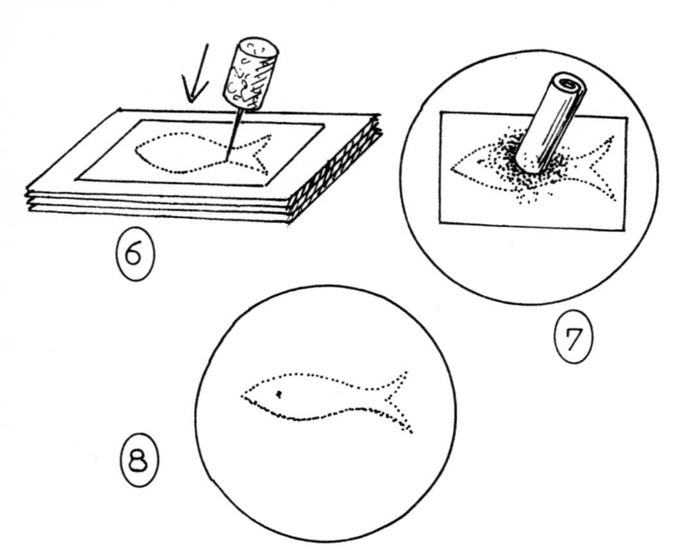

Retirer les petites aspérités formées par le piquage du calque en passant un papier de verre fin sur l'envers.

Mettre en place le dessin piqué sur l'objet et, en tournant, passer la poncette imprégnée légèrement de poudre noire (7).

En retirant délicatement le calque, vous retrouverez le dessin formé d'une succession de petits points (8).

LE TRACE

Comme son nom l'indique cette étape consiste à passer sur le trait du dessin avec une plume chargée de peinture diluée.

Ce simple tracé peut parfois constituer un décor en lui-même (voir par exemple le petit plat, page 71), ou simplement servir de contour pour la pose des couleurs.

Le tracé peut s'effectuer de 2 manières différentes :

le tracé maigre : couleur diluée avec de l'eau et du sucre ;

le tracé gras : couleur diluée avec de l'essence de térébenthine et de l'essence grasse, ou médium dilué à l'essence de térébenthine.

LE TRACE MAIGRE

Des inscriptions, des signatures, de fines lignes au trait régulier sont souvent difficiles à obtenir au pinceau : aussi avons-nous recours au tracé à la plume.

Il permet un dessin précis pour de nombreux décors qui utilisent le dessin cerné, tel que le Chine et de nombreux autres modèles modernes ou de style.

Le dessin au crayon ou au poncif permet de refaire facilement le trait à la plume, dans la couleur choisie ; il délimite ainsi des formes qui seront remplies avec une couleur diluée, cette fois, avec les essences ou le médium (voir croquis 1 et 2).

C'est une aide précieuse qui facilite considérablement le travail des débutants. Précisons que ce tracé qui résiste à la cuisson présente alors un aspect mat.

MATERIEL

- *Couleurs (en poudre) vitrifiables.*
- *Eau.*
- *Un morceau de sucre ou quelques grains de sucre en poudre.*
- *Carreau de faïence émaillée et couteau à palette.*
- *Porte-plume avec plume à dessin dure (atome 1423 par exemple).*

Préparer la couleur (*) en mettant sur le carreau la valeur d'un pois de couleur.

Le diluer avec quelques gouttes d'eau.

(*) Signalons qu'il existe un noir à tracer tout préparé dans le commerce, mais il est très facile de le faire, et ce dans la couleur de son choix.

Ajouter quelques grains de sucre (un morceau gratté à la lame de couteau).

Ecraser et mélanger bien le tout pour obtenir un liquide qui remplira la plume avec laquelle vous écrirez facilement (3).

Comme nous l'avons déjà dit, le décor sur porcelaine permet tous les "repentirs". Si une erreur a été commise lors de l'exécution du tracé, l'effacer immédiatement avec un chiffon imbibé d'eau. Puis bien nettoyer à nouveau la pièce avant d'effectuer un nouveau tracé.

Conseils : Eviter d'avoir en même temps sur la table de travail le matériel à tracer (à base d'eau) et le matériel couleur à remplir (à base d'essence), les deux ne s'accordant pas !

Si durant le travail, la préparation couleur + eau et sucre sèche sur le carreau, on peut la rediluer en ajoutant simplement un peu d'eau (pas de sucre), seule cette dernière s'étant évaporée.

LE TRACE GRAS

Il s'effectue suivant le même principe mais avec des produits gras.

Contrairement au précédent, si l'on commet une erreur lors du remplissage des formes et que l'on essuie, on effacera du même coup le tracé.

MATERIEL

- *Une plaque de verre.*
- *Couleurs (en poudre) vitrifiables.*
- *Essence de térébenthine.*
- *Essence grasse.*
- *Plume à dessin dure.*

Préparer sur la plaque un peu de couleur.

La diluer avec quelques gouttes d'essence de térébenthine pour obtenir une pâte.

Ajouter une goutte d'essence grasse et encore un peu de térébenthine pour obtenir une couleur assez fluide (4).

Charger la plume que vous devrez essuyer fréquemment pour faciliter le tracé.

Quand faut-il employer l'un ou l'autre des tracés ?

Bien sûr cela dépend de l'effet général que l'on veut obtenir, mais le tracé maigre est à conseiller aux débutants. Il est un peu plus facile à exécuter, et de plus, lors du remplissage des formes, si l'on a commis une erreur, il est possible d'essuyer la couleur sans détruire le tracé. Ce qui ne peut se faire avec un tracé gras.

PREPARATION DES COULEURS ET DECOR

Seule, une couleur bien préparée permet un travail aisé et satisfaisant. L'attention que vous lui porterez sera de première importance.

MATERIEL

- *Couleurs en poudre.*
- *Essence de térébenthine et essence grasse. (Ces deux produits peuvent être remplacés par un médium spécial pour décor sur porcelaine).*
- *Essence de girofle, d'aspic, ou de lavande (facultatif).*
- *Plaque de verre (de préférence une par couleur, au moins pour les débuts).*
- *Couteau à palette.*

- *Alcool à brûler ou à défaut à 90° (facultatif).*
- *Un chiffon non pelucheux et propre.*

Il est préférable, pour éviter la poussière, de préparer la couleur par petites quantités à chaque séance de travail.

Avec le chiffon sec bien propre, ou imbibé d'alcool à brûler, nettoyer plaque et couteau à palette.

A l'aide de ce dernier, prendre un peu de poudre et la mettre en puits au milieu de la plaque de verre.

Y verser 2 ou 3 gouttes d'essence de térébenthine pour obtenir une pâte homogène en malaxant avec le couteau (1).

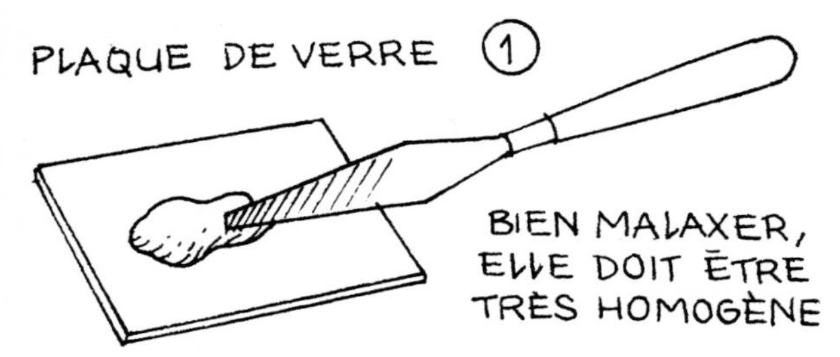

Sur le bord de la plaque déposer une goutte d'essence grasse, prise avec le bâtonnet de la bouteille (voir matériel, page 11).

En prélever un peu avec la pointe du couteau et mélanger à la couleur diluée pour obtenir une pâte lisse, un peu brillante, qui ne doit pas s'étaler mais bien adhérer au couteau (2). Si on la soulève, elle doit tomber en grosses gouttes (3).

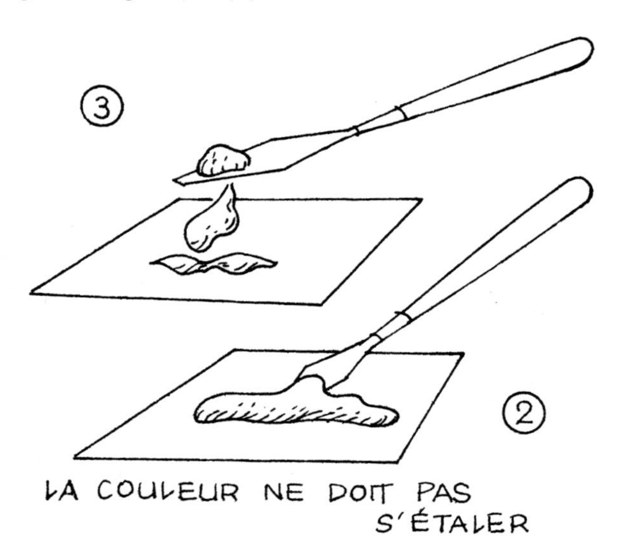

Certes, seule la pratique vous permettra d'obtenir facilement la consistance souhaitée. Toutefois sachez tester votre couleur : une bonne couleur doit se poser en se dégradant facilement (voir assiette-palette ci-dessous).

Si la pâte est **trop liquide :** l'étaler sur la plaque et souffler légèrement en l'approchant de la bouche. L'essence s'évaporant, la peinture s'épaissira.

Si après 2 ou 3 heures, la peinture appliquée est encore brillante, elle est **trop grasse :** ajouter à la pâte un peu de poudre et une goutte de térébenthine. Bien malaxer avec le couteau.

Si, lorsqu'elle est sèche, après quelques heures votre couleur disparaît facilement, en passant le doigt dessus, elle n'est **pas assez grasse :** ajouter un peu d'essence grasse.

Si la pâte est **trop épaisse :** ajouter une goutte d'essence de térébenthine.

Pendant la durée du décor, retravailler souvent la couleur avec le couteau, en ajoutant une ou 2 gouttes d'essence de térébenthine si la peinture est trop épaisse.

La peinture se graissant d'elle-même, il est inutile d'ajouter de l'essence grasse.

Une goutte d'essence d'aspic, de girofle ou de lavande, ajoutée à la couleur préparée, en ralentira le séchage et pourra être utilisée pour les fonds ou les filets.

Le **médium** tout préparé qui s'achète dans le commerce, peut remplacer le mélange de térébenthine-essence grasse.

Dans le puits fait dans la poudre de couleur, ajouter la quantité de gouttes nécessaires pour obtenir la consistance désirée.

Pendant le travail, si besoin est, ajouter un peu de térébenthine en mélangeant la couleur trop épaisse. Le médium graisserait trop.

Un conseil pratique

Pour poursuivre sans risque un décor commencé, pour transporter facilement un objet décoré ou pour faire une 2e couche de couleur sur un fond (voir plus loin), vous ferez sécher la couleur dans votre four de cuisine.

Le préchauffer pendant 15 à 20 mn aux environs de 150°.

L'éteindre et introduire le ou les pièces pendant à peu près le même temps.

Ne pas s'inquiéter si une forte odeur se dégage et si, en ouvrant le four, vous découvrez la triste mine de votre décor : les couleurs devenues mates ont complètement changé ! Cette modification sous l'action de la chaleur est tout à fait prévisible. Les couleurs redeviendront normales après la véritable cuisson.

Les couleurs, ainsi moins fragiles, craindront tout de même les éraflures. Pour effectuer un transport, emballer les pièces dans un papier moelleux pour éviter les chocs, ou utiliser le film plastique, étirable et transparent (*).

(*) Vendu en rouleaux dans les drogueries, grandes surfaces, etc.

L'assiette-palette

Voir sur la photo ci-dessous.

Indispensable pour faire un échantillonnage de couleurs avec leurs références, elle constitue également un exercice de grand intérêt permettant de se familiariser avec les dégradés.

De grands décorateurs sur porcelaine réalisaient ainsi de merveilleuses palettes avant de commencer paysages, bouquets, etc. Certaines sont exposées au musée de Sèvres.

Chaque couleur dégradée, de la valeur la plus forte à la valeur la plus faible, sera accompagnée de sa référence inscrite.

REALISATION

Au crayon gras spécial, tracer une ligne tout

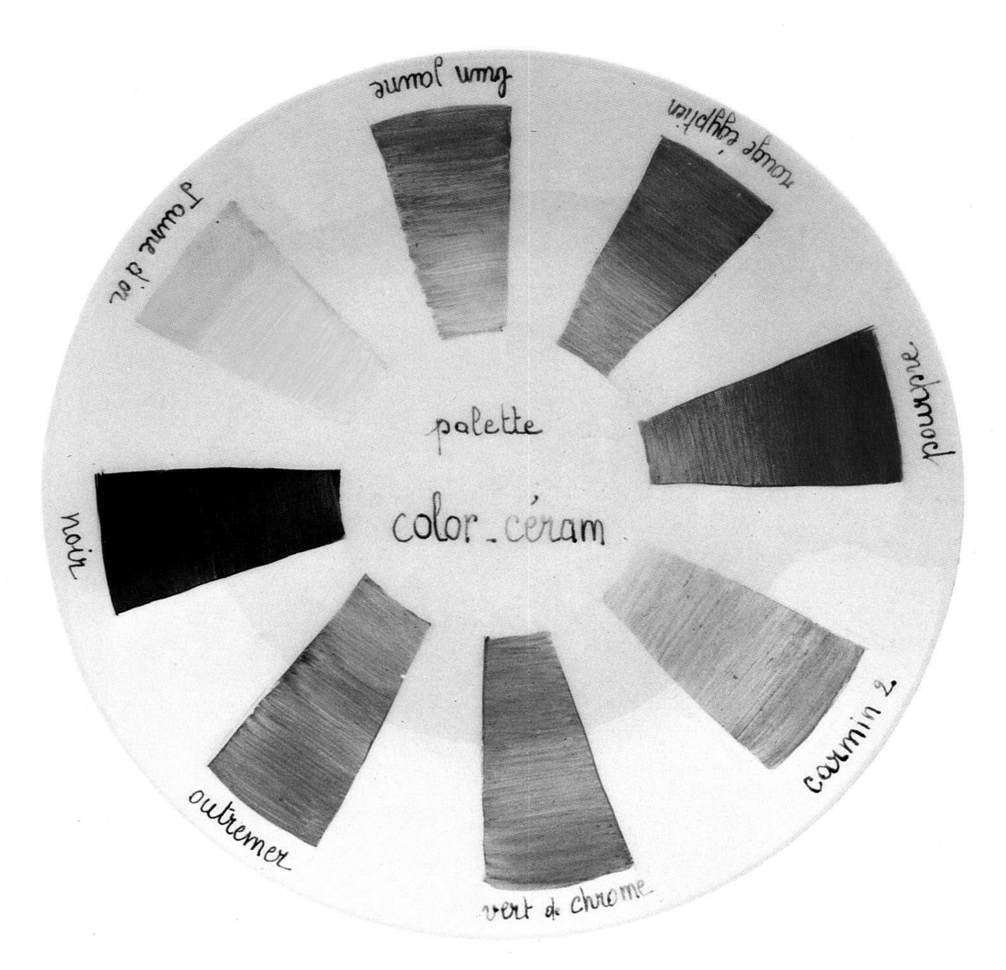

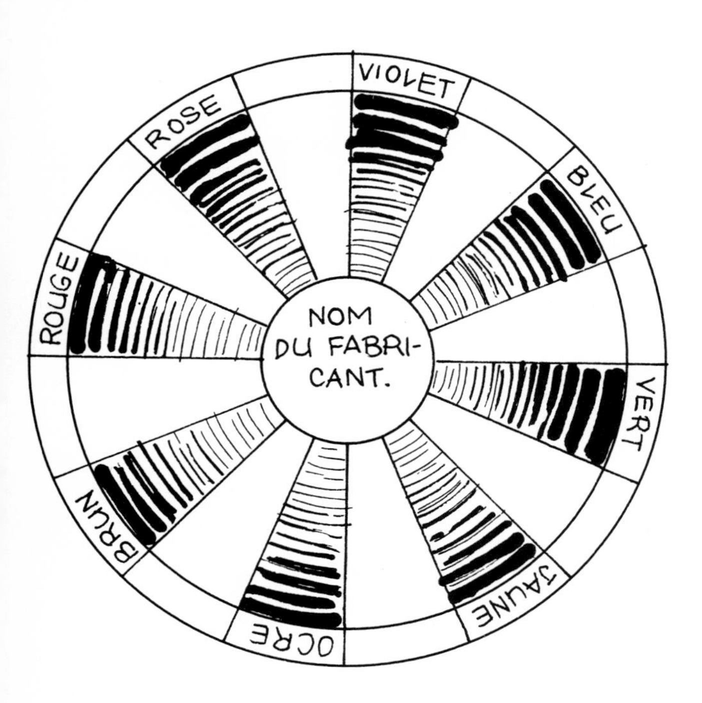

autour de l'assiette, à 1 cm du bord (voir dessin).

Puis, tracer des diamètres à l'aide d'une règle qui passera par le centre, partageant ainsi le cercle en un nombre de divisions souhaitées.

Faire un cercle au centre de l'assiette.

Toutes les couleurs seront diluées avec l'essence de térébenthine et l'essence grasse (ou le médium), au fur et à mesure de leur emploi.

Poser le pinceau chargé de couleur sur le bord supérieur du grand cercle et, **sans reprendre de couleur,** faire des touches parallèles en descendant vers le centre. Tout naturellement la couleur ira en diminuant d'intensité.

Si la couleur déborde, essuyer avec un chiffon pour obtenir des contours bien nets.

Bien nettoyer le tour et le cercle central.

Inscrire le nom des couleurs au-dessus de chaque bande, et dans le centre celui de la marque utilisée. Ces inscriptions sont faites à la plume avec du noir dilué à l'eau et au sucre.

Faire cuire.

L'assiette exemple que nous présentons comporte 8 couleurs, on peut évidemment en faire plus, ou faire plusieurs assiettes.

PREMIERS EXERCICES

La couleur étant minutieusement préparée sur la plaque de verre, les pinceaux prêts à l'emploi, il est indispensable de faire connaissance avec cette nouvelle peinture qui ne s'emploie certes ni comme la gouache, ni comme l'huile ou même l'aquarelle.

Pour commencer, avant de toucher à toutes les couleurs, mieux vaut en utiliser une seule à la fois et en connaître tous les effets selon les différents emplois.

Il existe d'ailleurs de remarquables décors réalisés ainsi en camaïeu, c'est-à-dire avec une seule couleur utilisée en différents tons.

Savoir dégrader correctement une couleur (comme on l'a fait pour l'assiette-palette) en allant d'une valeur forte à une valeur faible permettra de maîtriser rapidement cette nouvelle technique.

Sur un objet de porcelaine ou un carreau de faïence, déposer une première touche, bien à plat, avec un pinceau à peindre chargé de couleur.

Faire aussitôt une autre touche, attenante à la première, et ainsi de suite jusqu'à épuisement de la couleur: les premières touches sont foncées, les dernières beaucoup plus claires.

Au début, éviter l'épaisseur car, si vous cuisez, la peinture risque de s'écailler.

La manière de prendre la couleur sur la palette est très importante. Il faut plonger l'extrémité du pinceau dans la couleur, appuyer les poils et retirer lentement jusqu'à l'extrémité (1).

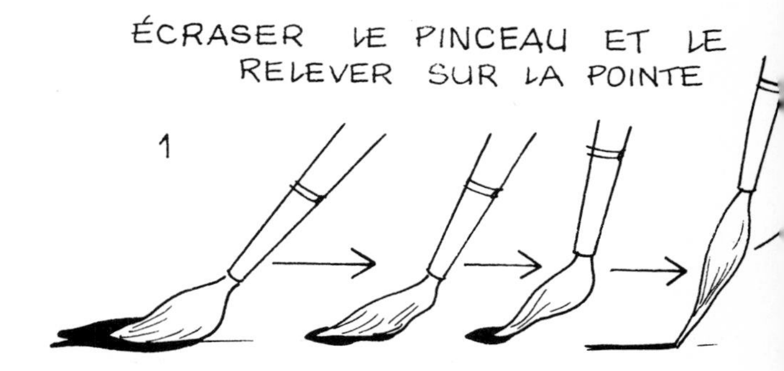

Imprégner l'un des côtés du pinceau et, en laissant l'autre vierge, faire des dégradés droits ou courbes (2).

Sur la pointe, soulever une boule de couleur et la déposer ensuite en un point d'exclamation que l'on tire vers soi (3).

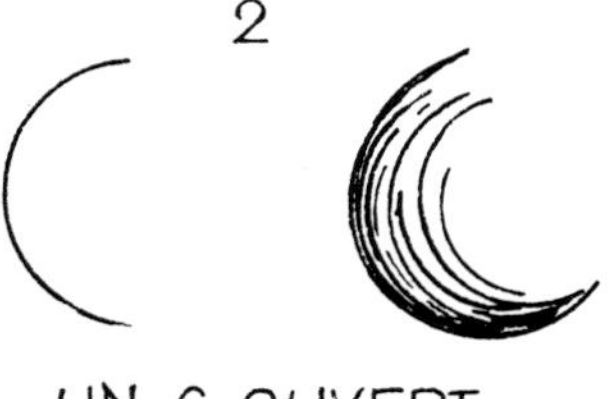

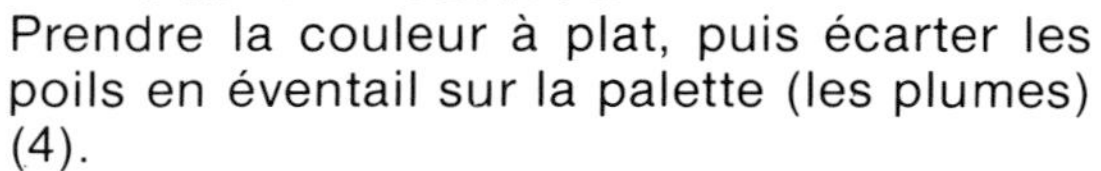

Prendre la couleur à plat, puis écarter les poils en éventail sur la palette (les plumes) (4).

Pour effectuer ces essais, tenir carreau ou assiette avec la main gauche bien ouverte (5). Le coude droit prend appui sur la banquette. Si vous n'avez pas de banquette, ne pas se placer face à la table mais perpendiculairement, les genoux croisés, afin de pouvoir y poser l'avant-bras droit.

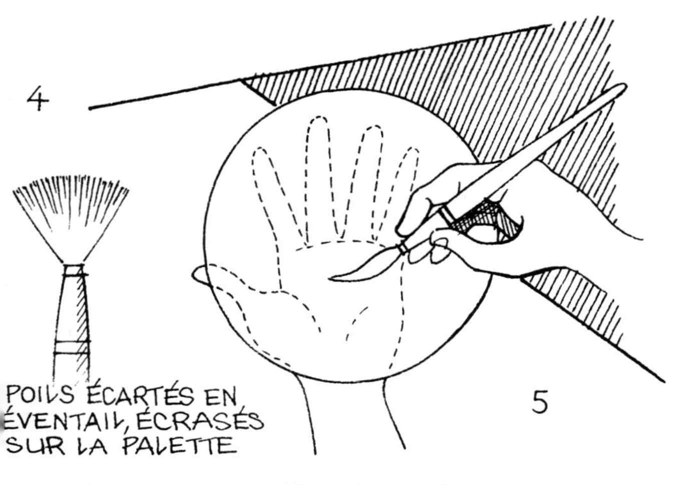

Toujours pour faciliter les débuts, nous avons jugé utile de vous donner la façon de faire les principales touches. Il est bon de s'y exercer (comme on fait des gammes de piano) pour acquérir une certaine habileté.

La goutte

Pointe en haut : pointer, presser, relever.

Pointe en bas : presser, pointer, relever.

Ces touches peuvent être plus ou moins allongées et incurvées, comme un accent (croquis 1).

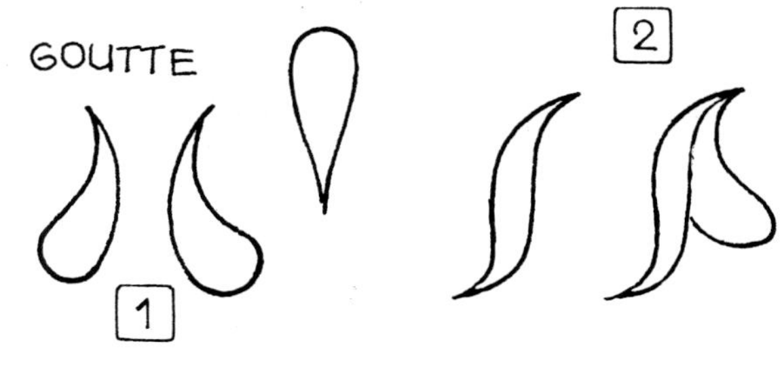

La courbe en "S"

C'est un enchaînement : pointer, presser, pointer et relever.

Ce type de touche formera une feuille et pourra même être doublée, éventuellement avec une autre couleur, pour obtenir une feuille plus importante (2).

La courbe en "C" ou "C inversé"

En chargeant le pinceau sur le côté, pointer, presser, pointer en un mouvement incurvé de croissant (3).

La perle

Avec le pinceau bien chargé, décrire un cercle complet en terminant au milieu (les petites fleurs). Elle peut se faire aussi avec deux C inversés, comblés au centre (les grands pétales arrondis par exemple) (4).

En prenant appui de la main, les touches sont commandées par le mouvement des doigts.

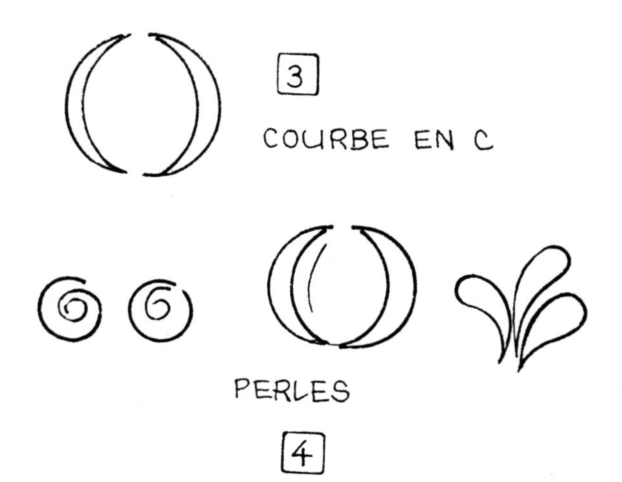

Les **traits fins de repique** (*) telles les nervures des feuilles, sont exécutés avec les mêmes gestes mais avec un pinceau fin tenu verticalement.

Seules **les volutes** (5) sont réalisées en guidant la main par la rotation du poignet.

Voir en application le petit motif avec tige en volute (croquis 6), pétales en perles, feuilles en gouttes.

LES DECALCOMANIES

Si le décor à la main vous fait peur ou simplement pour exécuter plus facilement des décors en série on peut utiliser cet autre type de technique (comme on le fait à Limoges).

Il s'agit d'employer des décalcomanies spéciales qui s'achètent dans les magasins de fournitures de travaux manuels. Il existe une grande variété de motifs.

Les spécialistes vendent les planches d'un même motif par grande quantité ; certains magasins d'activités les vendent maintenant en planche unique ou même à la pièce.

Leur emploi est un jeu d'enfant.

Découper la feuille support largement autour du sujet. Immerger quelques secondes dans une assiette profonde contenant de l'eau et laisser un instant (1).

Prendre la décalcomanie entre le pouce et l'index et la faire glisser en dehors de son support, très lentement (2).

Poser le sujet en bonne place sur l'objet à décorer (3). Faire adhérer en frottant doucement avec un petit chiffon ou le dos d'un doigt ; partir du centre vers l'extérieur pour chasser les bulles d'air. Laisser sécher plusieurs heures.

(*) On nomme ainsi les reprises, les ajouts, les traits de détails.

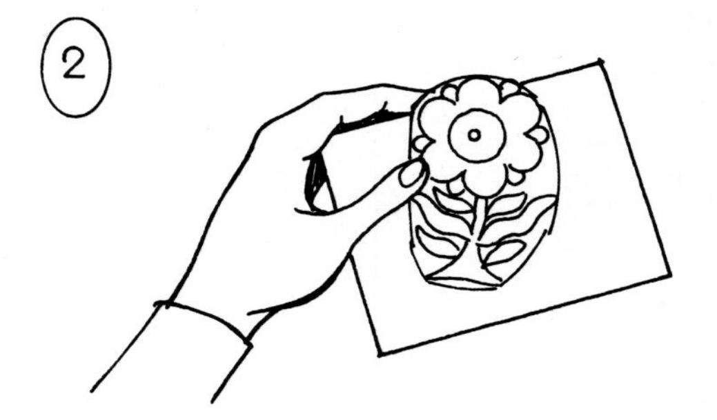

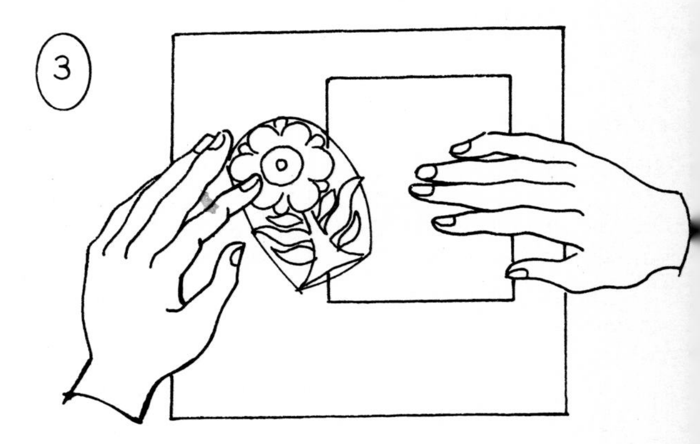

Eventuellement un décor exécuté en décalcomanie peut être retouché à la main.

Les objets ainsi décorés sont cuits normalement ; la pellicule transparente, et parfois colorée, disparaîtra à la cuisson.

Les couleurs obtenues sont très solides mais, malgré l'excellente qualité des reproductions actuelles, elles ne peuvent en aucun cas égaler le décor main.

Voici des exemples de cette technique : la petite bonbonnière aux violettes, le mazagran et le cendrier à la Lanchester (voir photo ci-contre).

Lanchester

TECHNIQUES UTILISABLES SANS L'EMPLOI D'UN FOUR SPECIAL

Le décor sur porcelaine réalisé avec les couleurs vitrifiables exigeant une forte cuisson (environ 800°), offre toutes les qualités de solidité et d'esthétique. Il permet toutes les finesses du coup de pinceau et la pièce terminée ne craindra pas les lavages fréquents.

Néanmoins, si vous souhaitez exercer votre talent de décorateur sur vase, pied de lampe, petite boîte ou plat d'ornement, plusieurs possibilités très appréciables vous sont offertes avec des couleurs de différents types.

Les couleurs ne demandant pas de cuisson (dites souvent "émail à froid"), telles couleurs Email à froid (*), couleurs "Céramique" à froid, ou Hobby couleurs (**).

Les couleurs demandant une faible cuisson (de 150° à 200°) pouvant s'effectuer dans le four de la cuisinière. Tel émail à l'eau "Céramique" thermodurcissable (1).

Présentées en pots ou petites bouteilles, ces couleurs s'emploient en général sans préparation préalable, directement au pinceau. Les diluants qui servent à les éclaircir (si besoin est) et à nettoyer les pinceaux, diffèrent selon la nature du produit : eau, alcool, white-spirit, térébenthine ou diluant spécial. Cette précision est donnée sur l'étiquette ou la notice jointe.

REALISATION DU DECOR

Bien essuyer la pièce et dessiner le motif si vous le souhaitez.

Avec le pinceau, choisi en fonction du décor, peindre le motif.

La couleur peut être versée dans un petit godet (ou couvercle) au fur et à mesure du travail, le flacon étant refermé avec soin.

Les différentes couleurs d'un même produit étant miscibles entre elles, il vous appartient d'en faire les mélanges.

Enfourner, si vous utilisez l'émail thermodurcissable. Et pour la cuisson, suivre les indications données sur la notice du fabricant.

(*) Marque PEBEO.
(**) Marque LEFRANC-BOURGEOIS.

Exemple : le vase aux bambous

Voir sur la photo ci-contre.

Ce motif (ci-dessous), très décoratif, à la ligne élancée, s'adapte très bien aux objets en hauteur.

Les feuilles seules sont également un élément de décor qui convient à toutes les pièces plates ou bombées, telles : assiettes, tasses, etc.

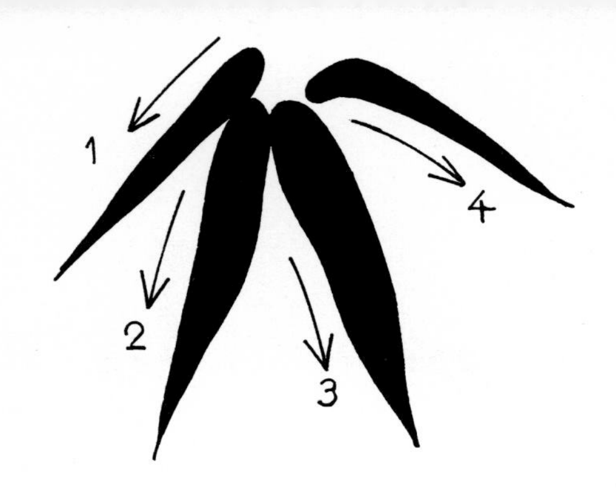

Ce vase-tube est décoré avec de l'émail à froid noir (Pébéo). Les tiges se font au pinceau décor, les segments se rapetissant de bas en haut ; les feuilles sont réalisées avec un pinceau grain de blé : le pinceau bien appuyé au départ est soulevé pour former une pointe (voir dessin).

Autres exemples

Voir également en émail à froid la bonbonnière et le petit pot décorés d'un chat noir (motif ci-contre), la petite chope aux fleurettes rouges, la bonbonnière à la tête aux cheveux bleus (photo page 29).

Ont été décorés puis cuits dans le four de la cuisinière : la tête de Pierrot (photo page 29 et motif ci-contre), la bonbonnière en forme de cœur décorée de petites roses (voir les bordures mouchetées page 45 et photo page 46).

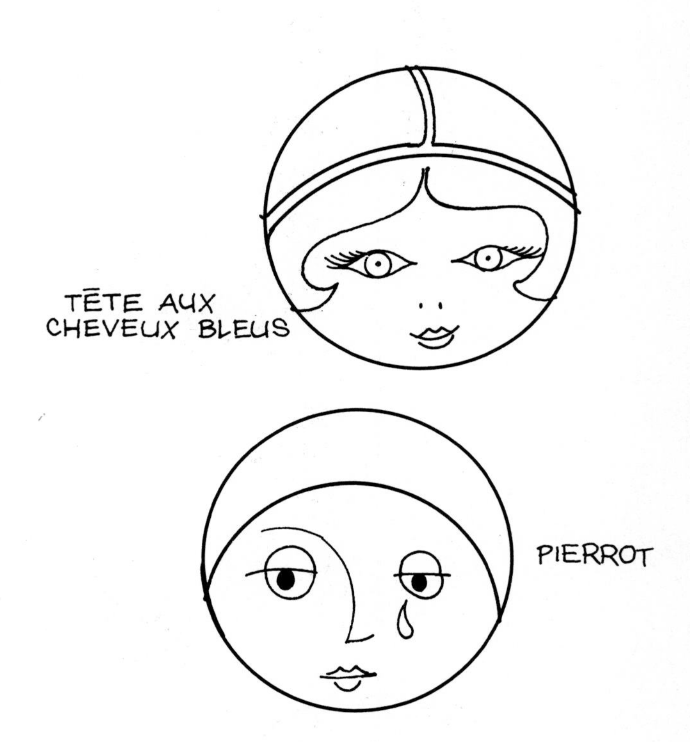

premières réalisations

Voici tout d'abord quelques exemples d'objets simples à réaliser avec tracé.

MATERIEL GENERAL

Attention : la liste du matériel, précisé pour chaque réalisation, ne mentionne pas les éléments courants que vous devez avoir à portée de main, sur la table de travail, à savoir :

- *Crayon spécial (all Stabilo ou Glasocrom).*
- *Matériel à poncer (si vous le souhaitez).*
- *Pour les couleurs diluées avec les essences : plaque de verre, godet en verre.*
- *Pour les couleurs diluées à l'eau et au sucre : carreau de faïence, pot ou godet plastique, couteau à palette.*
- *Bâtonnet.*
- *Chiffon.*
- *Alcool à brûler si vous souhaitez nettoyer des objets très sales.*

L'ASSIETTE AU VISAGE

Voir sur la photo ci-contre.

Très simple, elle convient bien pour un travail de débutant.

Reporter sur l'assiette le motif donné page 34.

Exécuter au tracé maigre (noir, dilué avec eau et sucre) à la plume tous les contours du visage et les bouclettes des cheveux.

Colorier l'œil en bleu clair, la pupille en noir en réservant bien le petit point blanc qui donne le regard.

Les lèvres sont en carmin clair, et les pommettes également en carmin mais très dilué.

Peindre le collier en bleu en travaillant comme pour un cœur de fleur, afin de donner l'arrondi des perles.

Sur le même principe de visage très stylisé, voir les croquis des pages 30 et 32 qui peuvent donner d'autres idées.

LES MARQUES FROMAGES

Voir sur la photo ci-contre.

Même principe de travail. Dessins et inscriptions sont tracés finement à la plume.

Quelques touches de couleur données au pinceau avec une peinture légère, diluée avec les essences, agrémentent le motif.

bleu d'Auvergne
Cendré
Roquefort

MOTIFS DES MARQUES FROMAGES

LES PETITES BOITES

Voir sur la photo page 37.

On en trouve de toutes les formes, de toutes les tailles et de tous les genres. Bien que demandant une certaine finesse d'exécution, elles sont faciles à décorer. N'oublions pas que l'on peut toujours essuyer les erreurs.

Nous présentons ici différents styles de décor, tous sont exécutés avec un tracé maigre à la plume. Noter que ce tracé peut être effectué en noir, mais aussi avec une autre couleur : brun, bleu, vert, rouge égyptien.

A l'intérieur on peindra avec des couleurs minutieusement préparées, généralement très légères, et selon le procédé correspondant au décor.

LA BOITE FLEURS ET PAPILLON

Voir dessin I.

Un tracé brun très fin. Colorier selon son goût. Ajouter quelques feuillages verts à la plume (ou au pinceau fin). Terminer par un filet jaune autour du couvercle.

La base de la bonbonnière est décorée de quelques fleurettes disposées irrégulièrement.

LA BOITE AUX HOUX

Voir dessin II.

Ici seules les feuilles sont tracées en vert à la plume avant d'être peintes dans la même couleur.

Les baies sont réalisées au pinceau chargé de rouge égyptien, en effectuant un mouvement tournant pour donner du volume à ces

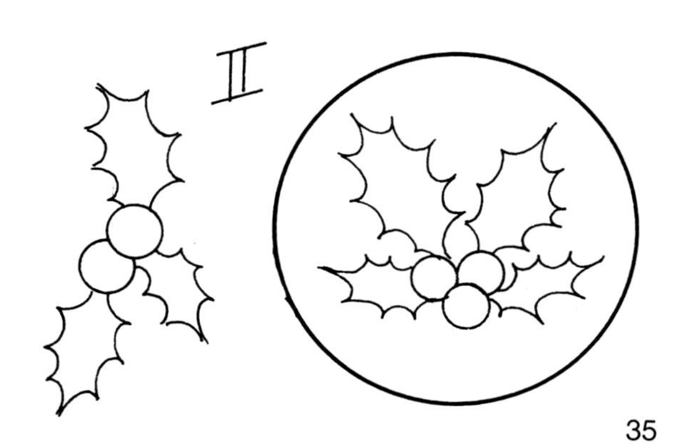

fruits. Ne pas oublier de réserver le petit point blanc qui en évoque la brillance.

LA BOITE AUX HIRONDELLES

Voir dessin III.

Un bleu très léger putoisé irrégulièrement sur le couvercle et les côtés de la boîte évoquera les nuages.

Les hirondelles sont tracées en noir et peintes en partie en bleu outremer.

LA BOITE A LA PETITE FILLE

Voir dessin IV du couvercle et dessin V de la guirlande de liserons qui décore la base de la boîte.

Ce motif classique, toujours charmant, de la fillette coiffée d'une grande capeline est exécuté avec un fin tracé brun.

Des touches de couleurs très légères, choisies selon vos goûts, compléteront le décor.

LA BOITE AU DECOR BLEU

Cette boîte de forme originale est décorée dans un camaïeu de bleu, en imitation des célèbres décors hollandais de Delft.

Les croquis VI et VII donnent les motifs du corps de la boîte, et le croquis VIII donne celui du couvercle.

Faire un tracé bleu à la plume et compléter en touches légères avec le même bleu.

Une seconde boîte du même style donne une autre idée de décor.

Sur la même photo et sur d'autres illustrant diverses techniques, on trouvera des idées différentes pour décorer des petites boîtes.

LE PLAT RECTANGULAIRE A LA BRANCHE FLEURIE

Voir sur la photo page 33.

Très simple à exécuter, ce modèle s'adapte aussi bien sur les objets de forme plane que sur ceux de forme bombée.

Il se compose d'un tracé à la plume et de quelques coups de pinceaux.

MATERIEL PARTICULIER

- *Plume et pinceau grain de blé.*
- *Couleur diluée à l'eau et au sucre : noir.*
- *Couleurs diluées avec les essences : carmin, vert Empire, brun-jaune.*

Faire le dessin donné ci-dessous directement au crayon spécial ou à l'aide d'un calque (ou d'un piquage).

Diluer la poudre noire avec l'eau et le sucre et effectuer le tracé finement à la plume.

Diluer les autres couleurs avec les essences.

Avec un pinceau grain de blé, mettre un peu de carmin très léger sur les fleurs, du vert sur les feuilles, du brun-jaune sur la tige.

Pour la bordure, effectuer au préalable un trait au crayon puis faire des points roses et des traits verts intercalés (voir croquis).

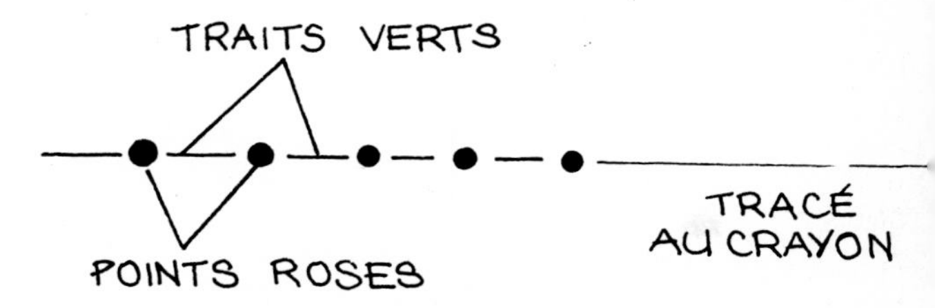

Ce modèle peut se réaliser également en camaïeu de bleu ou de rouge par exemple.

LE CONFITURIER AUX FRAMBOISES

Voir sur la photo page 71.

Un contour à la plume dessinera précisément ce joli décor. Le pourpre dans les framboises et les différents verts des feuilles, tiges et sépales donneront un air joyeux à l'ensemble qui pourra s'adapter à de nombreux objets.

Sur ce thème des fruits, en utilisant le tracé préalable, la diversité des décors est grande... A vous de les rechercher soit d'après nature, soit d'après des documents, catalogues...

MATERIEL PARTICULIER

- *Un porte-plume.*
- *Un pinceau grain de blé.*
- *Un pinceau filet.*
- *Couleurs : brun-jaune dilué à l'eau et au sucre ; pourpre, vert de chrome ou vert Empire, vert-jaune.*

Au crayon gras, tracer légèrement l'inscription, puis le décor l'entourant (voir ci-dessous).

Repasser sur le trait à la plume chargée du brun-jaune dilué (eau-sucre).

En utilisant le pinceau grain de blé, remplir avec un pourpre léger chaque grain de framboise, en donnant des valeurs de plus en plus faibles (côté lumière).

Les feuilles seront faites avec les deux coups de pinceau : l'un chargé de vert clair, l'autre de vert foncé.

Tiges et sépales avec les verts mélangés sur la palette.

Sur le bouchon du couvercle, filet et points verts compléteront ce décor, très simple à réaliser.

PLAT ET PELLE A TARTE

Voir sur la photo page 46.

Il s'agit ici d'un plat classique de 31 cm de diamètre avec un léger rebord sur lequel s'inscrit un motif simple dit de dentelle. Au centre, une belle initiale inspirée des anciens modèles de broderie et ornée de fleurettes. La pelle est décorée dans le même style.

L'ensemble du décor est réalisé avec un tracé à la plume et à la peinture diluée (eau et sucre) et un pinceau décor chargé de bleu et ensuite de gris (ou de rose).

MATERIEL PARTICULIER

- *Pinceau décor.*
- *Porte-plume.*
- *Couleurs : bleu clair (eau-sucre), bleu clair et gris ou rose (essence).*

LE PLAT

Commencer par diviser régulièrement le tour en 20 segments (1). Selon la dimension du plat et la largeur de la bordure, ce nombre peut varier.

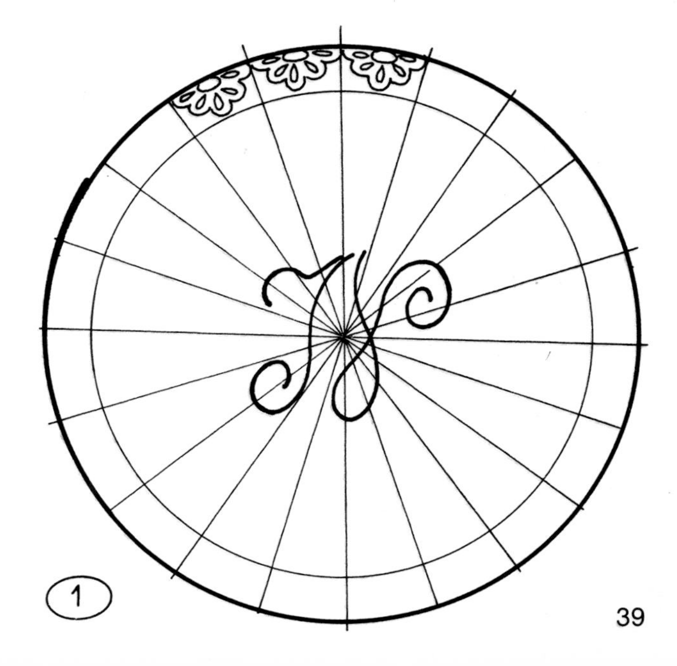

Au crayon, faire le tracé de l'initiale au centre du plat.

Découper une petite bande de papier ayant la largeur d'une portion. Y inscrire un élément festonné inspiré du motif du croquis 2 et le reproduire dans chaque section.

Si le plat est sans rebord, faire une ligne au crayon dans laquelle s'inscrira la dentelle (voir page 47).

Faire le tracé à la plume de l'initiale et de la bordure avec le bleu dilué (eau-sucre).

Remplir avec le gris les trous de la dentelle et les fleurs de la lettre, puis avec le bleu (dilué à l'essence) l'intérieur de l'initiale et les feuilles.

Quelques traits gris très légers, peuvent souligner la bordure.

LA PELLE

En s'inspirant du croquis 3, la décorer de motifs de dentelle sur la partie plate, et d'une fleurette sur le manche rappelant celles qui ornent l'initiale.

L'ASSIETTE A BOUILLIE ET LE COQUETIER

Voir sur la photo ci-contre.

MATERIEL PARTICULIER

- *Couleurs : noir - jaune - bleu - rouge.*
- *Pinceau grain de blé.*
- *Pinceau décor.*

L'ASSIETTE

Dessiner le petit jardinier au crayon ou au poncif selon le motif ci-contre.

Diluer la peinture noire avec l'eau et le sucre et faire le tracé à la plume.

Préparer les autres couleurs avec les essences et peindre selon le goût de chacun.

La teinte du visage et des bras sera obtenue par un rouge très léger.

Le feston de la bordure sera fait de demi-cercles et points tracés à la plume chargé de noir (eau et sucre), et au pinceau décor chargé de bleu (dilué aux essences).

LE COQUETIER

Réalisé de la même manière, un filet sur le pied pourra éventuellement terminer le décor (voir dessin ci-contre).

On peut répéter 2 fois le décor autour du coquetier.

LE PETIT PLAT A ANSES ET LE COQUETIER

Voir sur la photo page 71.

Bien qu'apparemment simples, ces 2 objets exigent beaucoup de soin, de finesse et de régularité dans le tracé pour acquérir leur aspect de sobre élégance.

Tous deux sont entièrement exécutés à la plume chargée de peinture diluée avec les essences.

LE COQUETIER

Le croquis 1 donne la bordure du haut, le 2 celle du pied.

LE PETIT PLAT

Le croquis 3 donne 1/4 du motif. Le rebord est décoré d'un filet assez large surmonté de minuscules fleurettes régulièrement espacées, faites de points (4).

A noter que ces bordures et même le motif central du plat, peuvent être facilement utilisés pour décorer d'autres objets.

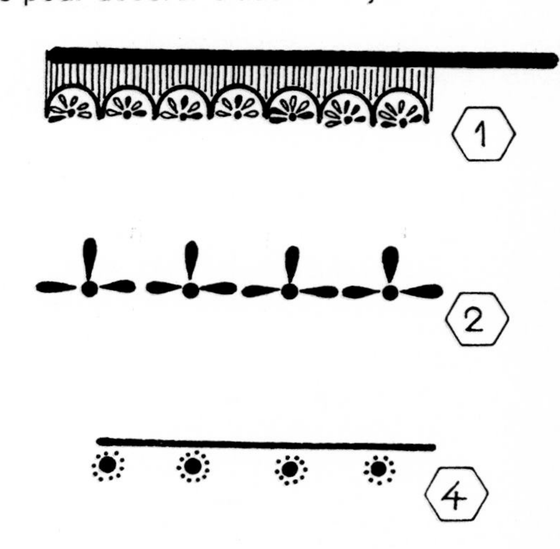

techniques employées

Après la réalisation des premiers essais, nous allons maintenant étudier les principales techniques utilisées en peinture sur porcelaine.

LES FONDS

On appelle fond la ou les couches de peinture qui recouvrent en partie ou en totalité l'objet en porcelaine.

Si les fonds peuvent être unis, ils peuvent aussi varier à l'infini soit en recouvrant toute la surface soit seulement en l'animant et permettre des réalisations très personnelles.

Selon votre fantaisie, ils peuvent être : diaprés, dégradés, mouchetés, etc.

MATERIEL GENERAL

- Couleurs.
- Essence de térébenthine et essence grasse.
- Plaque de verre de grande taille.
- Couteau à palette.
- Putois ou mousse plastique et pinceau queue de morue.
- Essence d'aspic ou de girofle (facultatif).
- Vernis de réserve (pour les cartels, facultatif).

La poussière étant votre plus grand ennemi dans la réalisation d'un fond, il est indispensable de l'éviter à tout prix et de travailler dans les conditions adéquates ; en effet, ses grains, après cuisson, laisseraient des points noirs indésirables. Aussi nettoyer très minutieusement le matériel et l'objet à décorer.

Préparer avec grand soin la couleur en augmentant un peu la quantité d'essence grasse afin que le pinceau glisse bien.

On peut ajouter une goutte d'essence d'aspic pour retarder le séchage.

La pose d'un fond demande une grande quantité de peinture. Il est donc bon de prévoir une quantité suffisante afin de ne pas interrompre le travail ce qui compromettrait sérieusement le résultat.

Commencer par réaliser les fonds clairs, obtenus avec un seul passage de couleur et plus faciles à unifier.

Les fonds foncés nécessitent 2 passages de couleur si l'on veut que la teinte désirée atteigne toute son intensité et donne l'apparence d'une peinture unie ; entre les 2 passages, il est indispensable de faire cuire une première fois ou tout au moins sécher dans un four de cuisine préalablement chauffé à 150° (voir page 22).

Pour les fonds pastels, la couleur employée sera plus liquide et un peu plus grasse que la couleur utilisée ordinairement.

Pour un fond uni, passer la couleur avec un pinceau (queue de morue) large ; puis putoiser, c'est-à-dire tapoter verticalement avec le putois, pinceau rond dont les poils courts sont taillés droit ou en pied de biche (en biseau) (voir croquis).

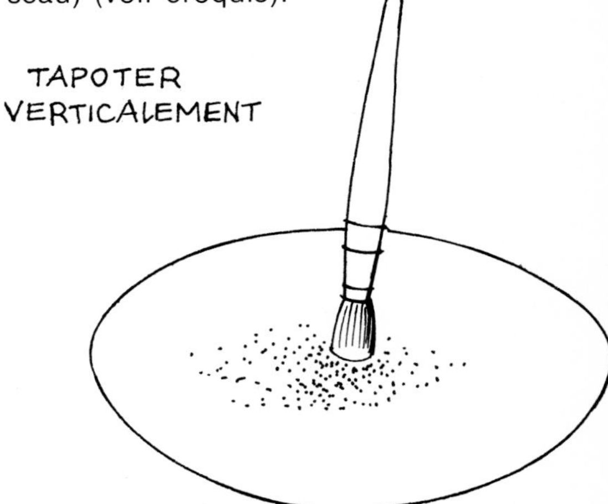

Pour les grandes surfaces, le putois est remplacé par un morceau de mousse plastique qui permet d'agir **légèrement** et **rapidement ;** ces 2 conditions sont indispensables pour réussir un fond : la couleur ne doit pas être partiellement retirée par un tapotement trop fort, elle ne doit pas non plus sécher pendant la durée de l'exécution.

EXEMPLE : LES TASSES DE TOUTES LES COULEURS

Voir sur la photo page 46.

Pour personnaliser des tasses blanches sans avoir à les décorer, on peut donner à chacune sa couleur.

Tous pourront ainsi prendre la tasse de leur choix : la bleue, la rose, la jaune ou la verte à moins que ce soit la violette, la rouge ou la brun-jaune... L'arc-en-ciel sur votre plateau sera source de gaîté !

MATERIEL PARTICULIER

- *Les couleurs choisies seront très minutieusement préparées au fur et à mesure de leur emploi, avec un peu plus d'essence grasse que d'habitude.*
- *Une goutte d'essence de girofle ou d'aspic peut être ajoutée à la préparation pour retarder le séchage de la couleur sur la plaque.*
- *Un putois ou tampon de mousse synthétique.*
- *Un pinceau queue de morue.*

Nettoyer avec très grand soin l'objet à décorer.

Passer sur toute la surface à peindre le pinceau queue de morue chargé de couleur testée auparavant.

Putoiser avec le putois ou la mousse parfaitement propre en unifiant toute la surface.

Pour les couleurs foncées, 2 couches seront probablement nécessaires. Dans ce cas, il est préférable de faire une cuisson entre les 2. Comme cela a déjà été dit, la couleur deviendra mate et changera de ton. Cette opération effectuée, passer une 2e couche délicatement et putoiser de nouveau.

Ici on a choisi délibérément de réserver en blanc le fond, l'intérieur et l'anse des tasses ; s'il s'est produit quelques bavures lors du passage du fond, bien les nettoyer, car il faut se souvenir que toute trace de couleur devient indélébile après la cuisson.

Les fonds diaprés

Avec la queue de morue, recouvrir la surface à peindre de plusieurs couleurs en couches légères et putoiser avec l'éponge. En s'unifiant, les tons se fondront les uns dans les autres.

EXEMPLE : LE CENDRIER "FEUILLE DE VIGNE"

Voir photo page 105.

Pour cette feuille d'automne, employer du jaune, du brun et du vert qui se mélangeront dans le centre.

Peindre et putoiser le bord en rouge.

Un fond ainsi réalisé est suffisamment riche par lui-même, peindre seulement les vrilles ou nervures en un ton plus foncé (ou au contraire "gratter" au bâtonnet, comme expliqué page 53).

Les bordures mouchetees

Quel que soit l'objet, il est parfois difficile de trouver une bordure qui accompagne légèrement un décor. Dans ce cas, la bordure mouchetée peut être la technique à adopter.

Préparer une couleur avec de l'essence de térébenthine et de l'essence grasse.

Poser l'éponge sur la plaque et tapoter la surface à peindre. La couleur doit être légère et dégradée. Vous pouvez utiliser une 2e éponge pour terminer en douceur.

On peut également utiliser plusieurs couleurs qui se mélangeront au cours du putoisage.

EXEMPLE : LA BONBONNIERE EN FORME DE CŒUR

Voir photo page 46.

Cet objet a déjà été présenté en exemple de travail avec les couleurs ne nécessitant pas de cuisson à haute température, mais le procédé et le résultat sont exactement les mêmes avec des couleurs à l'essence.

L'ADAPTATION DU DECOR

Adapter correctement le décor à la forme est important. Pour ce faire, il faudra souvent modifier le dessin en fonction de la pièce à décorer : tasse, assiette, vase... C'est généralement assez facile (voir croquis page 47).

Si le décor général doit être adapté à l'objet

en épousant sa forme, les bordures "continues" elles, ne doivent pas laisser de vide. Les motifs doivent exactement se raccorder. Il convient donc de préparer l'ensemble du dessin afin de ne pas avoir de mauvaises surprises en fin de travail.

Pour les objets **cylindriques** (tasse, vase...) : découper une bande de papier-calque ayant la hauteur du décor et qui entoure complètement l'objet (1).

Partager cette bande en parties égales contenant chacune le motif.

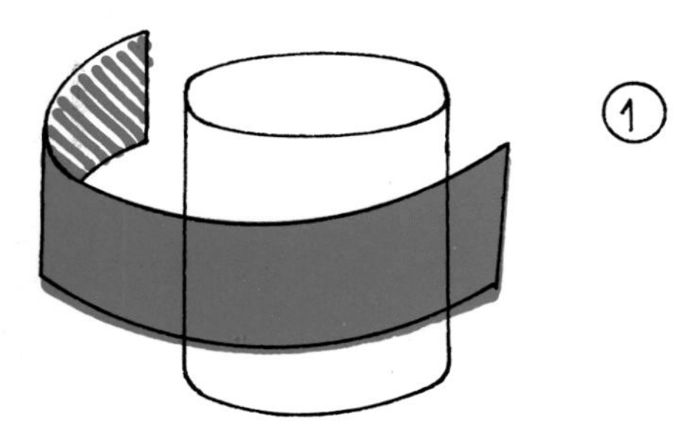

Pour les objets **plats** et **circulaires** (assiettes, plats ronds) : faire au crayon 2 lignes limitant le décor.

En passant bien par le centre de l'assiette et en vous aidant d'une règle, tracer les diamètres.

Sur une feuille de papier-calque, relever une ou plusieurs portions en observant bien la forme de l'arc de cercle (2).

Piquer si vous utilisez un poncif et placer à nouveau en maintenant avec des morceaux d'adhésif.

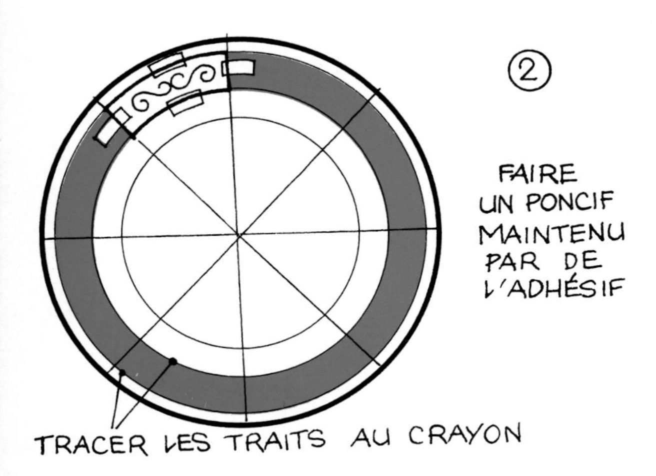

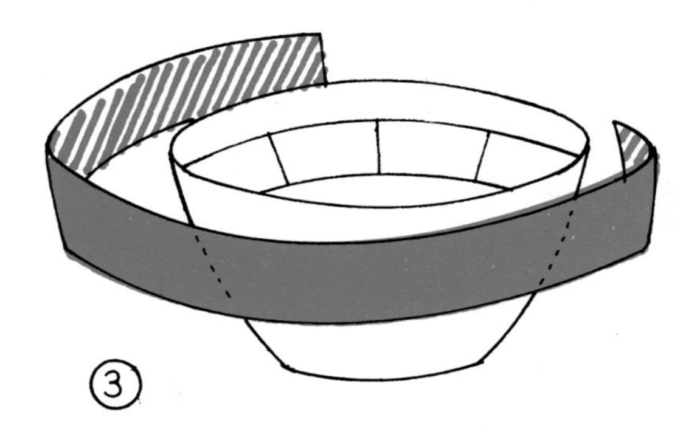

Pour les objets **creux** ou **bombés** (coupe, théière...) : tracer au crayon les lignes limites du décor.

Faire au papier-calque une bande qui épousera la forme intérieure ou extérieure de l'objet (3). (Penser pour cela à la forme conique d'un abat-jour à plat).

Y reporter le ou les motifs à répéter. (Voir l'égouttoir à fraises, page 111).

Pour les décors simples, les divisions se font au crayon directement sur l'objet ; le calque ne sera pas nécessaire. (Voir assiette bordée : pommes et cerises, page 92).

LE POCHOIR

La technique du pochoir, couramment utilisée sur papier, tissus, bois, l'est aussi sur porcelaine (ou faïence). Elle permet de reproduire le même motif plusieurs fois sur un même objet ou sur une série.

Le pochoir est facile à réaliser.

TECHNIQUE

Tracer un dessin de forme simple sur un papier dessin, papier "pochoir", ou papier contact adhésif.

Veiller à ce que les divers éléments de ce dessin soient séparés par de petits "tenants" de papier suffisamment larges pour n'être pas trop fragiles, mais pas trop larges néanmoins pour ne pas nuire à la silhouette générale du motif (1 page 48).

Evider, de préférence au Cutter, et fixer sur

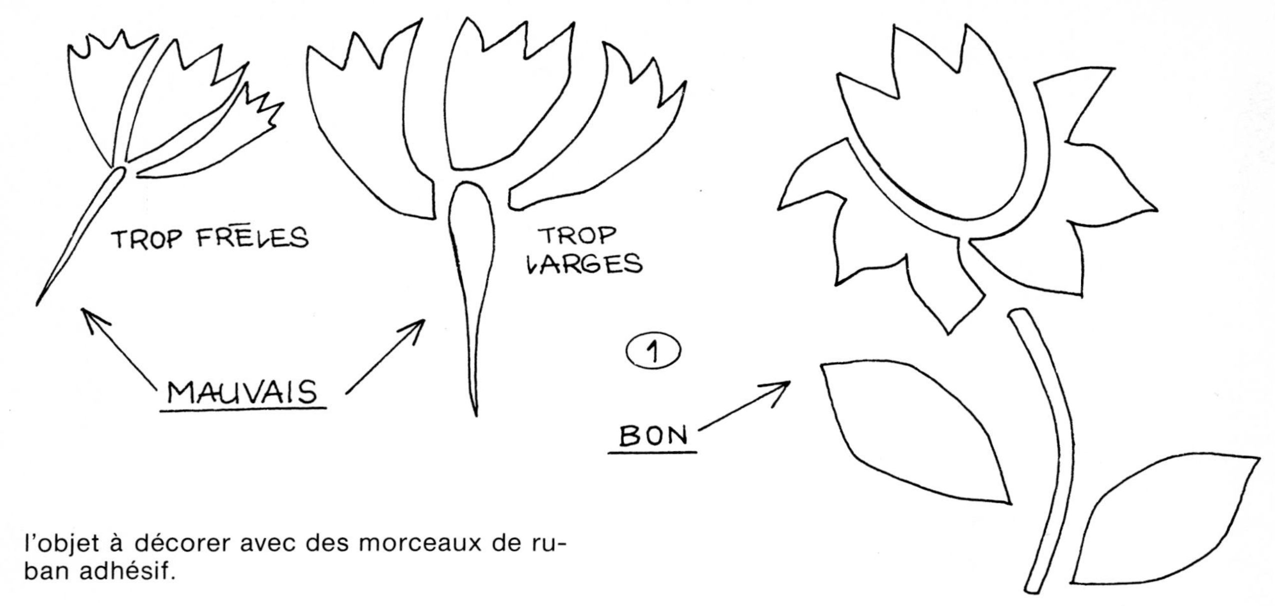

l'objet à décorer avec des morceaux de ruban adhésif.

Préparer la couleur à l'essence sur une plaque de verre (2). En imprégner le pinceau ou mieux une brosse spéciale à pocher dite souvent "pochon" (3), ou encore un morceau de mousse plastique.

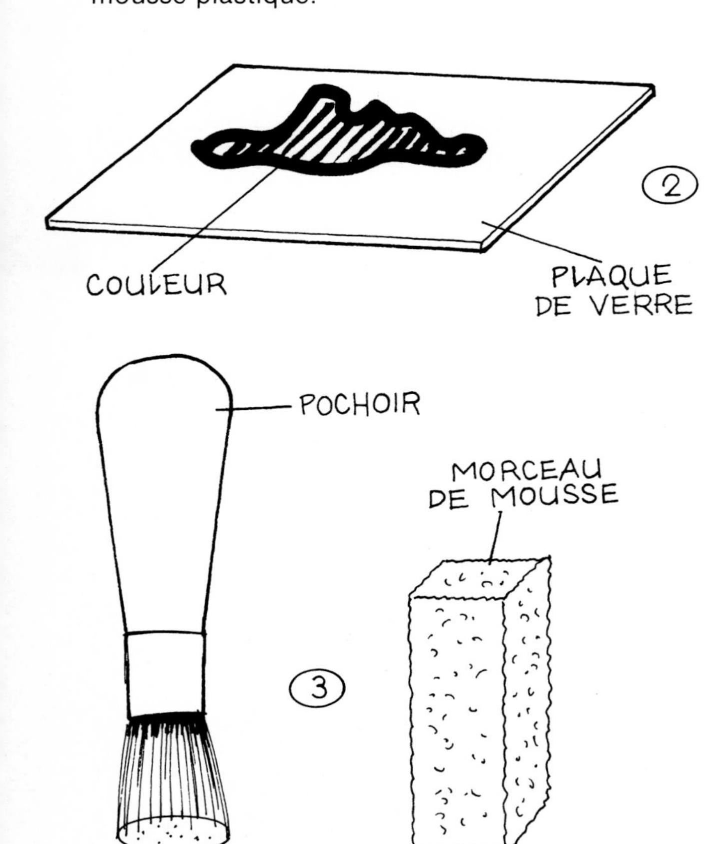

Essorer en faisant des essais préalables sur papier et rectifier si besoin est.

Tapoter légèrement en faisant des couches très légères, pour éviter l'excédent de couleur.

Les décors au pochoir peuvent être complétés par quelques traits ou détails au pinceau ou à la plume.

EXEMPLE : LE PETIT PLAT AU CHEVAL

Voir photo ci-contre.

Il est très simple à réaliser. Reproduire le motif donné page 50. Accentuer un peu le pochage sur certaines parties de l'animal pour animer la silhouette.

A la page 50 on trouvera d'autres idées de motifs de pochoirs.

LE VERNIS DE RESERVE

C'est un liquide un peu épais, coloré — souvent en rouge ou en bleu laiteux — qui se pose au pinceau et permet de réserver un motif dans un fond. C'est donc une technique intéressante, jusqu'à présent guère utili-

Ā ÉVIDER
LES ÉTAMINES SONT DESSINÉES Ā LA PLUME.

sée car le produit ne se trouvait pas très facilement. Or, depuis quelque temps il se vend dans les magasins très spécialisés en fournitures pour travaux manuels.

TECHNIQUE

Avec un pinceau à peindre, appliquer le vernis en une couche assez épaisse sur le motif préalablement dessiné. Laisser sécher au moins 1 heure.

Laver le pinceau à l'eau ou à l'alcool (selon les marques) dès que le travail est terminé.

Passer un fond de couleur avec la mousse plastique ou le putois. Peu importe si la couleur déborde sur le vernis. Laisser sécher.

Puis, avec un objet pointu, soulever la pellicule de vernis qui s'est formée et qui se retire doucement sans difficulté : le blanc apparaît au milieu du fond avec beaucoup de netteté.

Le motif peut rester blanc comme il peut être peint ensuite en couleurs nuancées (la tasse 1900, par exemple, voir page 104). Quelques traits à la plume ou au pinceau peuvent animer la surface restée blanche.

Le vernis peut être utilisé pour faire de larges bandes permettant d'obtenir un bord très net malgré le putoisage.

EXEMPLE : LE PETIT PLAT AUX OISEAUX

Voir sur la photo page 49.

Les oiseaux dont on trouvera les silhouettes ci-contre ont été réservés au vernis. Le fond gris a été putoisé par dessus.

LE BLANC-RELIEF

C'est une poudre, dite "blanc-relief", qui se présente comme les autres poudres de couleur, mais s'utilise en épaisseur, de manière à former un léger relief.

TECHNIQUE

Avant d'utiliser le blanc-relief en poudre, vérifier très soigneusement la propreté impeccable du matériel : plaque, couteau à palette, pinceaux et la pureté de l'essence.

Préparer une couleur un peu plus épaisse que d'habitude. La broyer avec insistance et souffler pour lui donner la consistance voulue.

Prise sur la pointe du pinceau décor, elle est déposée sur la porcelaine formant un relief, telle une perle.

Néanmoins le relief ne doit pas être trop important, car il sauterait à la cuisson entraînant l'émail.

Il peut être déposé en points d'exclamation formant ainsi le pétale d'une fleur. Ce décor est très employé dans le style Compagnie des Indes (voir croquis ci-contre).

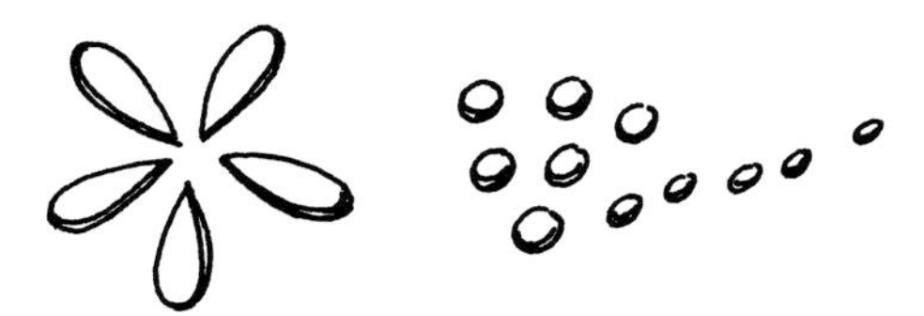

EXEMPLES : LE CŒUR AUX OISEAUX ET LE PETIT POT

Voir photo page 52.

Le couvercle de la petite bonbonnière en cœur est décoré d'oiseaux, de branches et de feuilles peints au pinceau sur un fond putoisé très léger. Les petites fleurs sont exécutées en blanc-relief délicatement posé (voir motif ci-contre).

Les motifs de fleurs du petit pot sont peints dans des cartouches cernés d'or, et tout le fond du pot, extérieur aux cartouches, est animé de points en blanc-relief.

LE GRATTAGE

C'est une technique qui s'inspire de la gravure et qui consiste à "gratter" un motif (c'est-à-dire à ôter la couleur du fond) à l'aide d'un bâtonnet bien pointu, par exemple, l'extrémité d'une hampe de pinceau retaillée. On peut également utiliser un grattoir ou plume à vaccin par exemple, pour graver des détails ou des hachures.

Cette opération s'effectue sur une peinture fraîche au cours du décor (nervures de feuilles, écailles de poisson, etc.) ou sur un fond de couleur sèche, telle une gravure.

EXEMPLE : LE CENDRIER A LA PETITE CHOUETTE GRAVEE

Voir photo page 105.

Le dessin est exécuté en négatif, blanc sur fond noir.

MATERIEL PARTICULIER

- *Poudre noire.*
- *Essence de térébenthine, essence grasse ou médium.*
- *Carré de mousse plastique.*
- *Objet très pointu (aiguille, plume à vaccin ou bout de bois très dur).*
- *Un morceau de craie blanche.*
- *Un peu de papier-calque.*

Diluer minutieusement la poudre : le mélange doit être relativement épais sans être trop gras.

Y tremper le carré de mousse plastique et putoiser la surface à peindre très régulièrement.

Nettoyer avec soin les contours à l'aide de l'index entouré d'un chiffon fin.

Activer le séchage de la couleur en plaçant l'objet dans le four de votre cuisinière préchauffé : la peinture deviendra mate.

Faire le dessin du motif ci-contre sur le papier-calque et en frotter l'envers avec un peu de craie blanche (1).

Le poser sur la surface noire et avec un objet pointu, refaire le tracé (2). La poudre blanche se déposera finement.

Retirer le calque et graver d'une main sûre car le repentir n'est pas possible dans cette technique.

Avec l'objet pointu, passer sur le trait en faisant apparaître le blanc de la porcelaine. Le doigt passé très légèrement fera disparaître la poudre. La moindre parcelle qui aurait pu voler sur votre objet devra être retirée avec un chiffon bien propre.

LE FILAGE

Faire un filet au bord d'une assiette ou d'une tasse, sur le col ou le pied d'un vase, semble facile lorsque l'on regarde le décorateur professionnel le réaliser avec une telle maîtrise !

Ne nous leurrons pas, car il y a là un "coup de

main" à acquérir, résultat d'une bonne technique et d'une longue pratique qui seules vous permettront de "filer" sans problème, presque sans y penser, qu'il s'agisse d'un filet cheveu ou d'une bande en or ou en couleur.

MATERIEL

Si vous souhaitez au début faire des filets sans matériel approprié, celui-ci deviendra bientôt indispensable. Il comprend :

- *Une banquette ou planche d'appui (voir page 11).*
- *Une tournette sur pied de préférence (1).*
- *Des pinceaux sifflets (2) ou à bande (3).*
- *Un poids lourd (une vieille pile ronde, par exemple) pour lester les objets légers.*

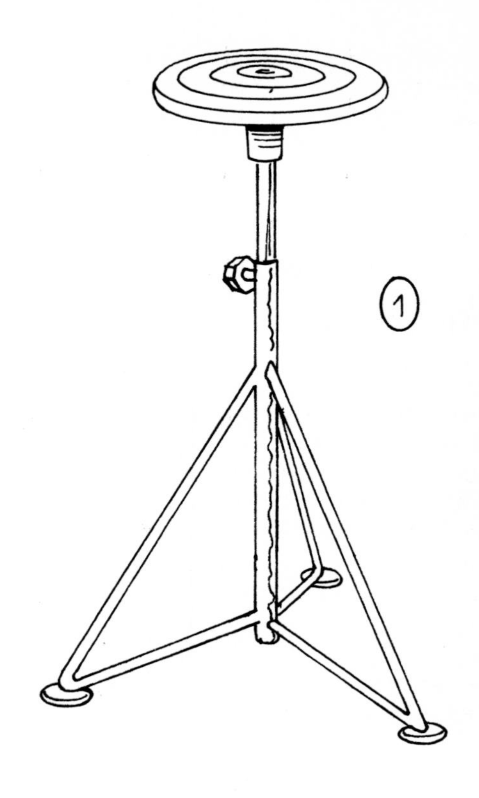

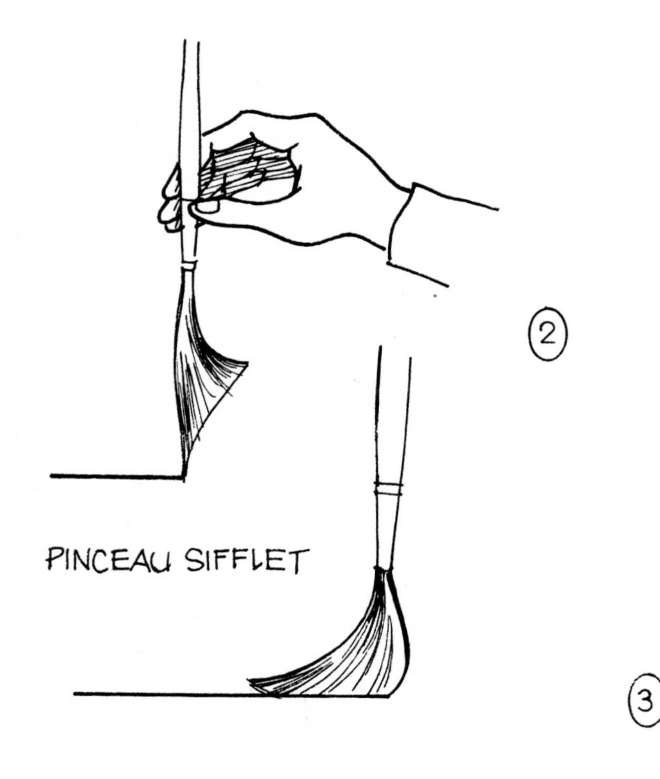

La tournette

En général en métal, elle peut également se trouver en bois sur pied métallique.

Elle se compose d'un pied réglable et d'un plateau tournant (la girelle) sur lequel des rainures concentriques sont gravées pour faciliter la mise en place de l'objet à filer.

Pour bien l'utiliser, régler la hauteur de la tournette et avant tout bien centrer l'objet. Si les rainures concentriques peuvent vous y aider, la phalangette de votre pouce droit ou un crayon maintenu verticalement et à bonne distance permettra de vérifier le bon centrage (croquis 4 et photo ci-contre).

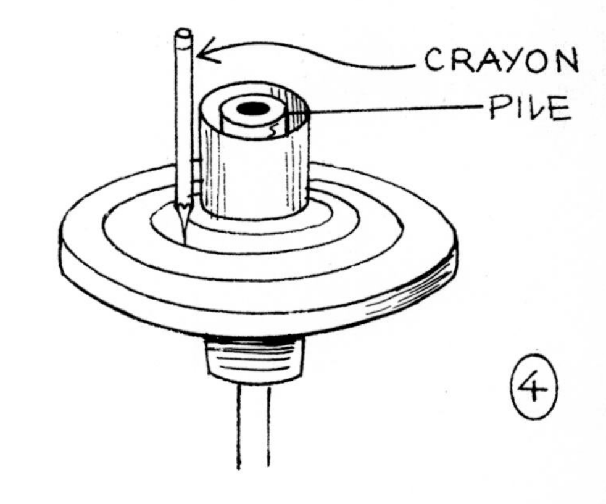

Pour éviter le déplacement de l'objet pendant le travail, il est conseillé de le lester avec un poids cylindrique (pile par exemple).

Le filet cheveu

Il s'exécute avec le pinceau sifflet — ou encore dit "à filet" — en forme de biseau. Il se tient perpendiculairement à la paroi de l'objet.

Dans les débuts pour faciliter la pose d'un filet, commencer par faire un tracé au crayon.

Puis poser la pointe au début du futur filet, le pinceau maintenu bien perpendiculairement à la paroi (voir photo page 56).

Ecraser alors lentement le pinceau en actionnant la tournette de l'autre main.

Faire tourner la girelle comme l'indique la photo, avec la main gauche, doucement, sans à-coups, en actionnant le tube central au-dessous, avec l'index et le médium en laissant glisser le pouce.

L'avant-bras droit posé sur la banquette permettra à la main, sans bouger, de tenir le pinceau qui restera ainsi presque immobile (le plateau seul tournera). Il sera chargé d'un maximum de couleurs ou d'or pour faire tout le tour de l'objet en une seule fois, sans nouvelle prise.

Le filet en bande

Il peut être tracé d'un seul geste avec un pinceau à bande (voir croquis 3) bien imprégné d'une couleur un peu grasse, ou d'un or pris généreusement.

Il s'agit d'un pinceau de forme carrée que l'on peut trouver en différentes largeurs. On peut aussi le remplacer par un pinceau sifflet employé sur sa largeur.

La bande s'effectue à l'aide de la tournette comme pour les filets.

Si vous n'avez pas de tournette et souhaitiez tout de même faire une petite bande au bord

d'une assiette : tracer au crayon les lignes qui la délimiteront ou faire 2 filets cheveu, et remplir au pinceau chargé de couleur.

Pour les bandes larges, on peut s'aider du vernis à réserve qui permet de putoiser la couleur laissant, après retrait, une bande nette (voir page 48).

L'OR

Il est utilisé dans les décors de style et dans les luxueux décors modernes. Malheureusement il est très onéreux. Néanmoins il est intéressant pour vous d'en connaître l'emploi et éventuellement de l'essayer un jour.

L'or pour décorer la porcelaine est un liquide brun à forte odeur, d'une teneur de 10 à 60 % d'or. Son prix en est très élevé et suit le cours de la Bourse. Plus sa teneur en or est élevée, plus, évidemment, il est cher.

L'or brillant liquide de 12 % est d'un emploi courant.

L'or mat liquide de 24 à 32 % a beaucoup plus de classe. Il doit être poli après la cuisson avec un gratte-boësse (*). (C'est un long cylindre contenant des fibres de verre dont il faut se protéger).

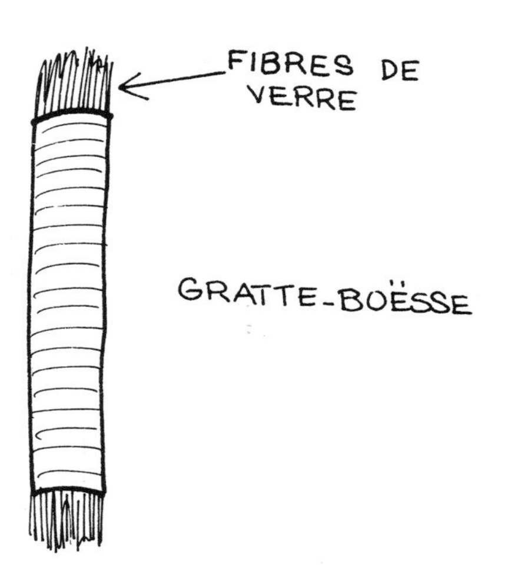

(*) S'achète dans les magasins spécialisés en fournitures pour travaux d'artisanat.

A défaut, un tampon Jex ou Scotch Brite passé légèrement pourra le remplacer.

L'or mat peut être utilisé en technique "mat-brillant", c'est-à-dire un décor brillant est gravé à la pointe d'agate (*) sur la surface dorée mate (très utilisé dans le style Empire par exemple).

L'or liquide est vendu prêt à l'emploi. Il doit être mélangé dans le flacon d'où l'importance de secouer celui-ci vigoureusement et longuement.

Si toutefois il s'était trop épaissi, une goutte de diluant spécial ou, à défaut, d'essence de térébenthine, lui permettrait de retrouver la fluidité souhaitée.

La pièce terminée doit être particulièrement bien nettoyée avant la cuisson. En effet, il pourrait subsister d'infimes traces d'or très dilué qui provoqueraient de vilaines traces violettes après cuisson. Donc bien frotter toutes traces à l'aide d'un Coton-Tige humide ou d'une gomme abrasive.

Un petit pot de fard sera un excellent godet pour mettre l'or au fur et à mesure de l'emploi.

Il est préférable de réserver des pinceaux particuliers pour l'utilisation de l'or, et pour économiser celui-ci, ces pinceaux seront rangés — sans être nettoyés — dans une petite boîte contenant un chiffon imbibé de diluant. Cette précaution assurera une parfaite conservation des pinceaux en bon état d'emploi.

EXEMPLE : LE PLAT A TARTE AUX FOUGERES DOREES

Voir photo page 58.

Ce motif s'adapte aussi bien sur une surface plane que sur un objet aux formes bombées ou creuses ; il convient donc à un décor de plat, d'assiette, de vase, etc.

MATERIEL PARTICULIER

- *Or liquide brillant ou or mat.*
- *Pinceau à décor pour or.*
- *Essence de térébenthine ou mieux solvant pour or.*
- *Godet pour or.*
- *Plaque de verre ou carreau de faïence et spatule.*

Nettoyer avec grand soin plat, plaque et spatule.

D'après les motifs donnés ci-contre, faire un dessin précis et léger (ou un poncif très fin).

Agiter longuement et vigoureusement la bouteille contenant l'or liquide. En verser un peu dans le godet.

(*) Morceau d'agate qui s'achète dans les magasins de fournitures pour travaux d'artisanat.

Avec un pinceau bien imprégné, tracer la nervure centrale en un grand S très étiré. Le pinceau tenu verticalement au début pour obtenir un trait fin, s'écrasera ensuite pour donner un départ de feuille plus épais.

Pour terminer la feuille, commencer par le haut en partant d'un point qui sera le premier coup de pinceau à l'intérieur de la courbe; chaque coup de pinceau viendra épouser la forme de la nervure en allant d'abord en croissant pour décroître ensuite (voir croquis).

Des filets dorés pourront compléter ce décor.

Une variante peut être obtenue en remplaçant l'or par une couleur.

Voir également le **cendrier au décor Empire** (photo ci-contre). Ici, l'initiale et la couronne ont été retravaillées à la pointe d'agate.

principaux thèmes de décor

OMBRER LÉGÈREMENT LE DESSOUS DES FEUILLES

QUELQUES TRAITS POUR LES NERVURES

CERTAINES FEUILLES SERONT EXÉCUTÉES DANS UN MOUVEMENT DE SPIRALE.

POUR LES FEUILLES POINTUES, APPUYER ET RELEVER LE PINCEAU (PLEINS ET DÉLIÉS)

CES FEUILLES SONT RÉALISÉES EN DEUX COUPS DE PINCEAU VERS LA POINTE.

POUR CELLE-CI LE PREMIER COUP DE PINCEAU SERA VERS LA BASE LE SECOND VERS LA POINTE BAISSÉE.

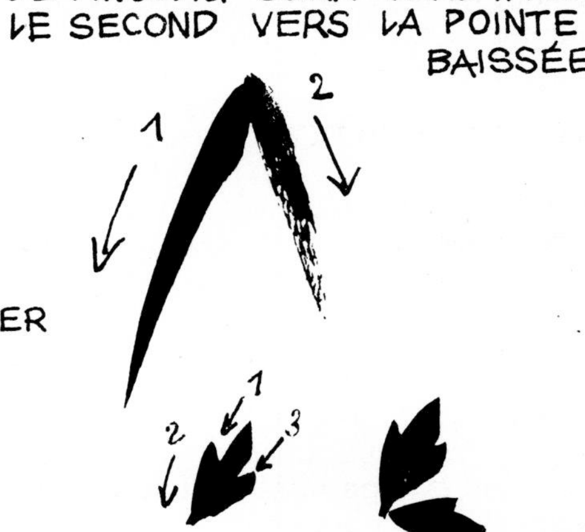

POUR LES FEUILLES NERVURÉES, QUELQUES ÉCHAPPÉES POURRONT COMPLÈTER UN BOUQUET

EN PRENANT LA COULEUR SUR LE CÔTÉ DU PINCEAU, PEINDRE PAR COUPS SUCCESSIFS EN PARTANT DE LA NERVURE CENTRALE VERS L'EXTÉRIEUR.

EN TROIS COUPS DE PINCEAU: UN AU MILIEU, UN À DROITE, UN À GAUCHE POUR FAIRE UNE FEUILLE OU UN ÉLÉMENT DE FEUILLE.

LES FEUILLES

Ne minimisez pas leur importance, elles contribuent largement à la réussite de vos bouquets. De formes très variées : rondes, allongées, nervurées, dentelées, etc. elles se traiteront de manières différentes.

Toutes, selon la technique choisie, peuvent être réalisées avec ou sans contour, comme pour les fleurs qu'elles accompagnent. Dans ce cas, le "coup de pinceau" doit être très sûr, car c'est de lui que dépendra le succès de votre travail. Les dessins accompagnant ce texte illustrent les 2 possibilités : avec ou sans tracé préalable. Les directions des coups de pinceaux aideront à comprendre le sens du décor.

LES FEUILLES AVEC TRACÉ

Le tracé est effectué à la plume chargée d'une couleur diluée à l'eau et au sucre.

Les feuilles sont remplies avec un pinceau grain de blé contenant une couleur diluée à l'essence. Selon leur taille et leur position on utilisera 1 ou 2 verts.

Les nervures peuvent être tracées à la plume en même temps que le contour, ou repiquées à la couleur à l'essence avec un pinceau fin, dans un ton plus foncé (voir page 57).

LES FEUILLES SANS CONTOUR

Elles se font en général avec un pinceau grain de blé en un ou plusieurs coups de pinceaux (voir les dessins ci-contre).

LES COULEURS

Du jaune au vert-noir en passant par le brun et le rouge, les feuilles ont une gamme infinie de tons, qu'il vous appartient de découvrir en mélangeant les couleurs entre elles.

Pour les tons clairs, ajouter un peu de bleu, de vert de chrome ou de vert Empire dans le jaune.

Pour les tons foncés, ajouter du brun bitume, du bleu ou du pourpre dans le vert Empire.

Dans un même bouquet, vous avez intérêt à utiliser au moins 2 tons différents pour éviter la monotonie.

Dans une même feuille, vous pouvez utiliser 2 verts différents, soit de chaque côté de la nervure, soit dans les 2 parties de la feuille si celle-ci se retourne, la partie se trouvant en dessous étant plus foncée.

Pour certaines feuilles ou les herbes, vous chargerez votre pinceau de jaune, brun-jaune et vert pris ensemble sur votre palette. Vous aurez ainsi un bel effet.

Les feuilles seront "repiquées" avec un pinceau très fin chargé d'une couleur plus foncée.

MONOGRAMMES OU INITIALES

Il est fort appréciable de personnaliser un cadeau que l'on fait en le décorant en totalité ou en partie avec les initiales de ceux à qui on l'attribue ; même une seule lettre agréablement enjolivée ou au contraire toute simple suffira.

Il y a de célèbres monogrammes et les musées en possèdent de fort beaux dans leurs vitrines. Les initiales au fond d'une assiette, sur une petite boîte ou tout autre objet, conviennent tout à fait à la délicatesse du décor sur porcelaine.

Les divers alphabets qui existent dans le commerce (par exemple les planches de Letraset utilisées par les dessinateurs ; voir au croquis 1), peuvent servir de modèles, ainsi

ABCDEFGHIJKLMNOPQRST

AABCDEFGHIJKLMMNOP
WXYZ

ABCDEF GHIJKL
STUVWXYZ

ABCDEFGHIJKLMNOP
WXYZ

ABCDEFGHIJKLMNOP
XYZÆŒ

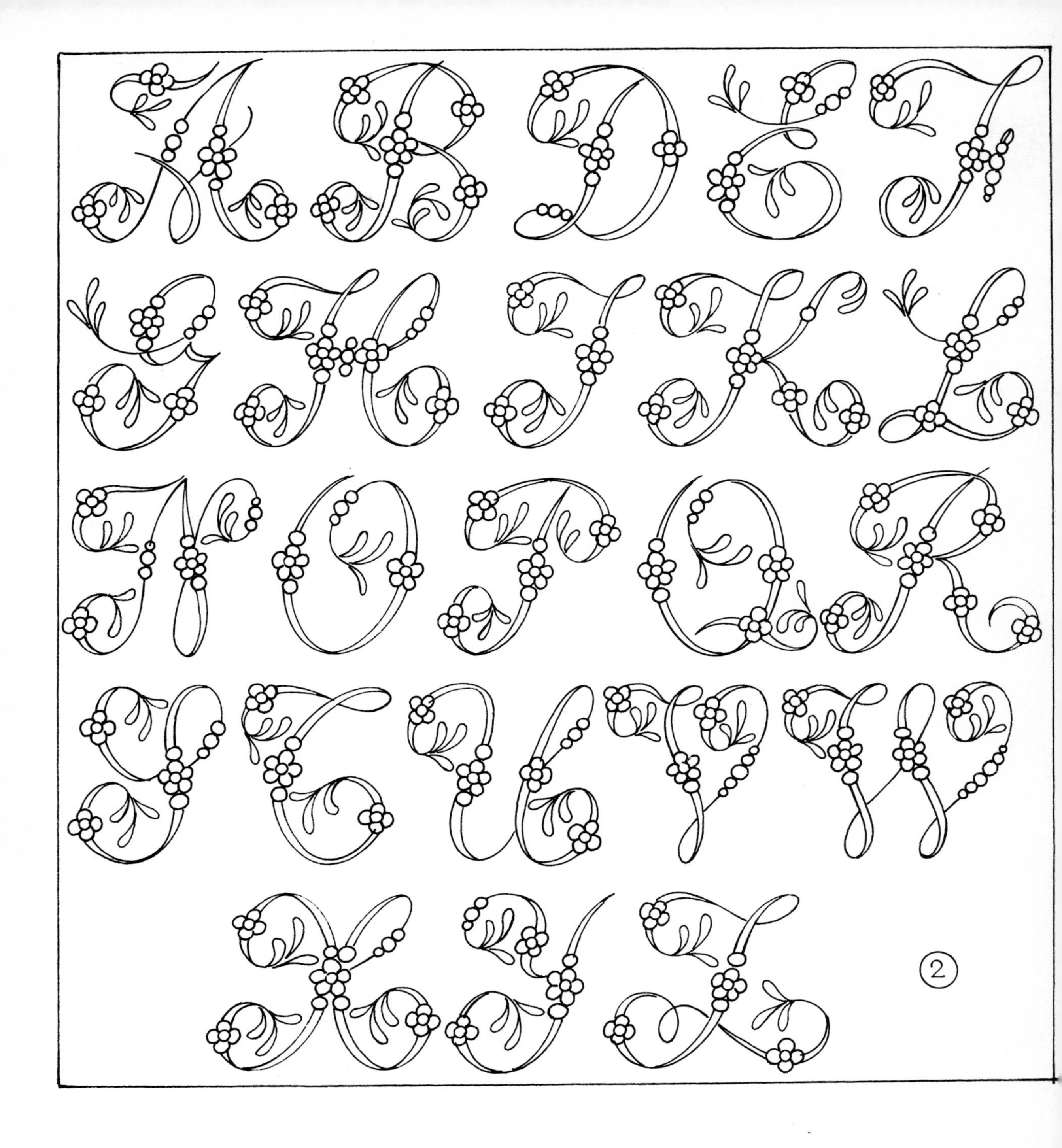

que les planches de dessins de broderie qu'il suffit souvent de décalquer et de reporter par calque ou piquage (2).

Les lettres ou un prénom peuvent être peints directement au pinceau ou tracés à la plume à la peinture au sucre et peints ensuite au pinceau à la peinture à l'essence (ou encore seulement tracés à la plume).

Les lettres peuvent être placées l'une à côté de l'autre ou entrelacées selon le style et l'effet recherché.

fard

EXEMPLE : LA PETITE BONBONNIERE EN FORME DE CŒUR

Voir sur la photo page 65.

Cette charmante bonbonnière est uniquement décorée de 2 initiales ornées de fleurettes. Ces dernières complètent le décor sur le couvercle et sur le pourtour de la boîte.

Pour exécuter ce décor, il est plus facile de faire un dessin précis sur le papier-calque dont on passe l'envers au crayon gras ; puis fixer le calque sur l'objet avec quelques morceaux de ruban adhésif et refaire le tracé avec une pointe fine ou un crayon très pointu.

Exécuter le décor avec un pinceau décor chargé de peinture bleue diluée à l'essence.

LES FLEURS

Seules, en semis, en guirlandes, en petits ou en grands bouquets, les fleurs furent de tout temps le sujet de prédilection des décorateurs sur porcelaine, des premiers décors chinois bleu et blanc aux décors modernes.

Exécutées avec la plus grande exactitude, "au naturel" ou stylisées, elles sont peintes de mille manières. Les "fleurs fines" seront modelées directement au pinceau ou tout simplement tracées avec un contour et remplies de couleurs dégradées.

Nous allons en présenter quelques-unes choisies parmi les plus typiques. (Voir les 1ers coups de pinceau page 24.)

LA ROSE

La rose est sans conteste une fleur privilégiée dans le décor sur porcelaine. On la trouve seule ou en bouquet, en guirlande ou en semis, stylisée ou "au naturel".

La rose étant une fleur ronde, tous les mouvements sont exécutés en arc de cercle ou en croissant ; charger le pinceau grain de blé d'un seul côté afin d'obtenir différentes valeurs, du foncé au clair.

Elle est, en général, très modelée. Si le plus souvent le carmin est utilisé, toute autre couleur peut être choisie.

La corolle : Faire le cœur au crayon.

La couleur est minutieusement préparée, la prendre sur le côté du pinceau bien souple, en décrivant sur la palette un arc de cercle déposé ensuite pour former la corolle (croquis 1 et 2).

Le même pinceau étant légèrement essuyé, dégrader la couleur en décrivant des arcs de plus en plus petits, laissant un peu de lumière (3).

Le cœur est réalisé dans un petit cercle à l'intérieur de la corolle avec le pinceau chargé de l'autre côté pour ombrer sur la droite (4). Le cœur sera ensuite précisé avec quelques traits de pinceau à repiquer.

Les pétales : Former les pétales de chaque côté de la corolle avec le pinceau chargé du côté correspondant (5 et 6).

Avant le séchage, quelques traits de pinceau fin imprégné d'essence grasse indiqueront les lumières sur les pétales et dans le cœur.

Pour une fleur plus élaborée, quelques traits de couleur plus foncée (par exemple pourpre pour une rose carmin) préciseront les pétales (7 et 8).

Un arc de cercle vert fera la tige et 2 coups de pinceaux les sépales (9).

Un semis de roses peut se composer de petites fleurs dont le cœur sera simplement évoqué par un point foncé, la corolle dans un petit cercle et quelques touches vertes pour les feuilles (10).

Voir en exemple **les 3 assiettes anciennes** sur la photo de la page 58 ; le dessin un peu simplifié de l'une de ces assiettes est donné ci-contre.

1
2
3
4
5
6
7
8
9
10
DÉCOR PEIGNÉ

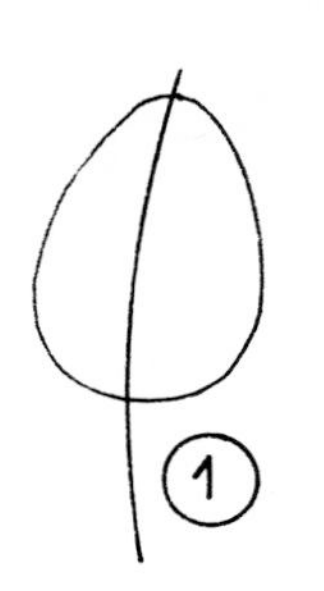

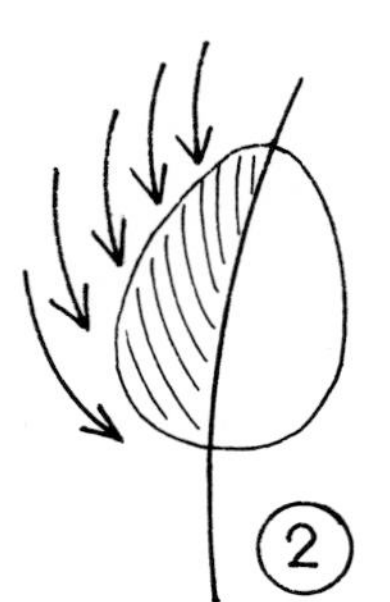

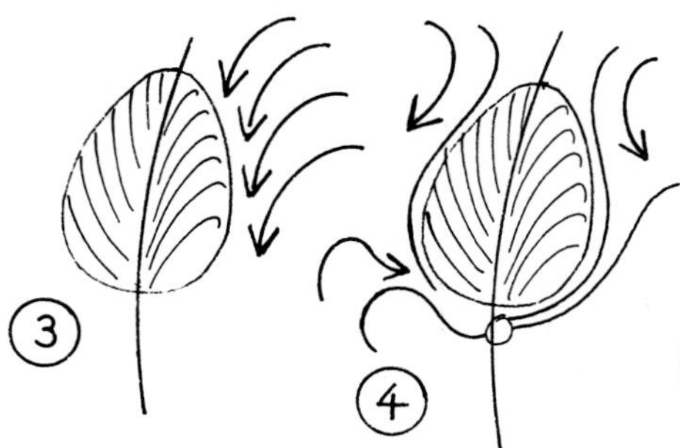

LA TULIPE

L'élégante tulipe avec sa forme ovoïde, sa longue tige et ses feuilles étirées est un bel élément de décor. Elle sera employée seule ou dans un bouquet qu'elle permet souvent d'équilibrer (voir les bouquets de Sèvres, Messein et un exemple ci-dessous).

Comme pour la rose, elle peut être traitée de différentes manières, "au naturel", stylisée, plus ou moins épanouie, voire fermée.

Cette fleur est en général exécutée avec un pinceau grain de blé en rouge égyptien, pourpre ou violet, la base des pétales étant souvent jaune.

Tracer au crayon l'axe de la fleur (1). Autour de cet axe dessiner une forme d'œuf qui sera le principal pétale.

Cette base suffit pour travailler ensuite directement avec la couleur.

Avec le pinceau grain de blé, travailler la partie gauche en courbes allongées (2) ; puis la partie droite en arcs de cercle longeant l'axe pour former la nervure centrale (3).

Ajouter de part et d'autre les pétales latéraux qui se réuniront en un même point (4).

La fleur peut être davantage épanouie selon la place qu'elle doit occuper dans le décor (5).

La tige sera courbe pour donner plus de souplesse, réalisée avec le pinceau décor.

Ce même pinceau permettra de faire les feuilles très allongées, en mouvement de pleins et déliés (voir exercices page 24) ; ceci en 2 tons de vert, légèrement repiqués de brun bitume.

Pratiquement le pinceau posé sur la pointe s'écrase puis se relève pour former les pleins et les déliés, dans un geste souple qui les module (6).

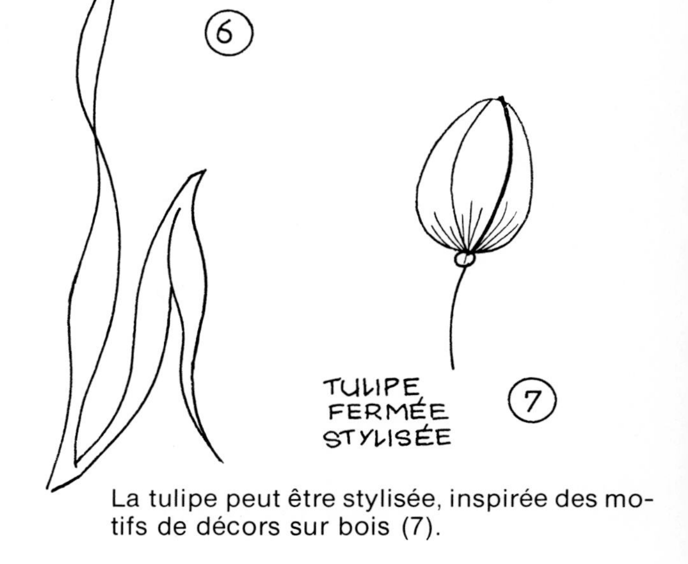

La tulipe peut être stylisée, inspirée des motifs de décors sur bois (7).

LES PETITES FLEURS

Marguerite, pâquerette, aster, petit chrysanthème, bleuet, myosotis, dahlia, anémone... autant de petites fleurs qui peuvent constituer des décors simples et délicats, ou s'intégrer à des bouquets pour les alléger.

Pour la mise en place dans un dessin de ce type de fleurs, mieux vaut tracer au crayon la forme dans laquelle elle s'inscrit et qui varie selon sa position :

de face : dans un cercle ;
de 3/4 : dans une ellipse ;
de profil : dans un demi-cercle ou un triangle (1).

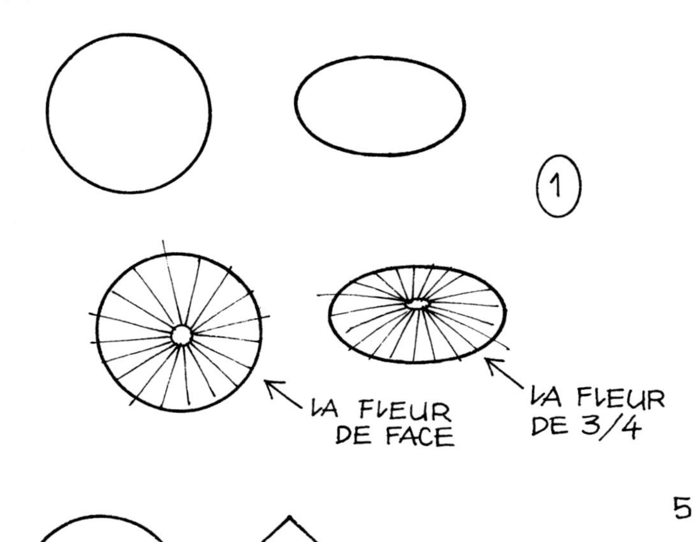

Pour de nombreuses petites fleurs, chaque coup de pinceau donnera un pétale. Ils seront peints vers le cœur, tous convergeant au centre (2).

Une seule prise de couleur permet de faire une fleur complète, donnant ainsi la lumière et le volume.

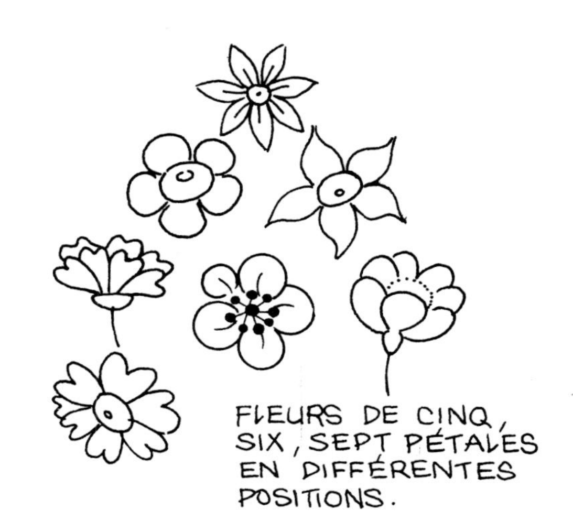

Le myosotis

Avec une seule prise de bleu, faire 5 petites touches rondes autour d'un cœur jaune.

La ligne courbe de la tige supportera 2 petites feuilles (3).

Voir en exemple **l'assiette aux myosotis** sur la photo page 71 dont le dessin est donné page 70.

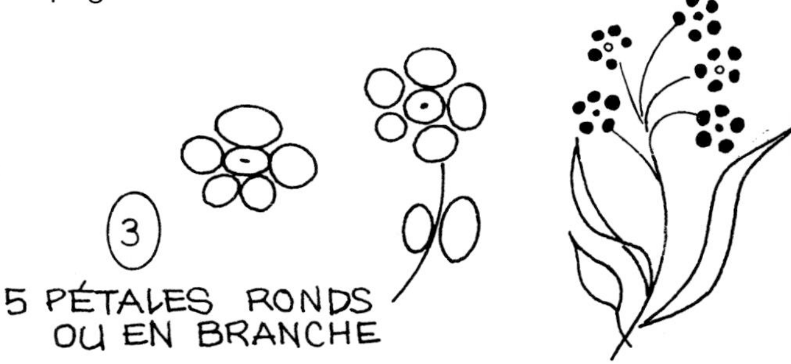

Le bleuet

Il a donné son nom au célèbre décor "barbeau" et se réalise avec 3 ou 5 pétales, chacun d'eux étant formé d'une première touche en point d'exclamation et de 2 plus petites, de chaque côté, qui formeront le fleuron (4).

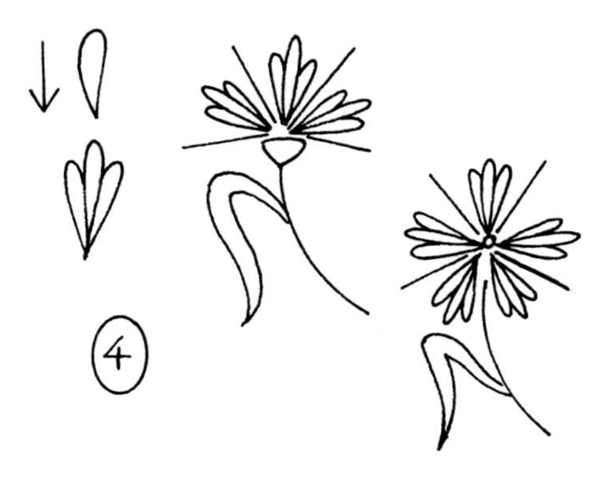

Confiture
de
Framboises

Les pâquerettes
Les pétales seront formés de petites touches plus allongées. Un peu de carmin colorera l'extrémité des pétales (5).

Les asters ou autres fleurs doubles
Commencer par les pétales du dessous ; puis avec un pinceau sans couleur contenant un peu d'essence grasse, faire de nouveaux pétales qui seront très clairs, accrochant ainsi la lumière (6).

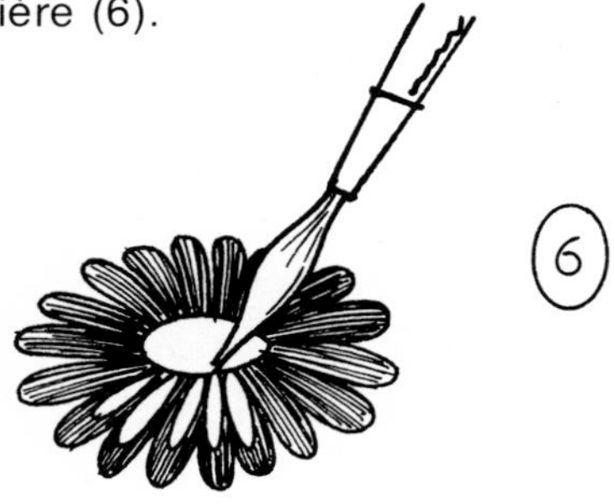

LES OISEAUX

Par la beauté de leur plumage coloré, de tout temps les oiseaux ont inspiré les décorateurs. Ils sont interprétés de façons bien différentes mais toujours avec beaucoup de charme, parfois dans un travail très enlevé (la tisanière bleue ; voir photo page 109), parfois beaucoup plus élaboré comme sur les assiettes de la photo ci-contre.

Afin de les dessiner sans problème et de les peindre avec le modelé indispensable, suivre les explications données ci-dessous.

Commencer par tracer un petit œuf pour la tête, un autre un peu plus gros et pointu en bas pour le corps (1). Ajouter l'œil, le bec et la queue.

Tracer ensuite 2 lignes partageant le corps en 3 parties (2). Se guider sur la partie médiane pour tracer l'aile (3). Et voilà notre oiseau campé. Sur le même principe on pourra varier ses positions (4, 5, 6).

Attention, les coups de pinceau doivent toujours être donnés dans le sens du plumage ; l'oiseau en sera plus vivant. Pour peindre l'œil poser un minuscule point sombre dans un petit cercle plus foncé (7).

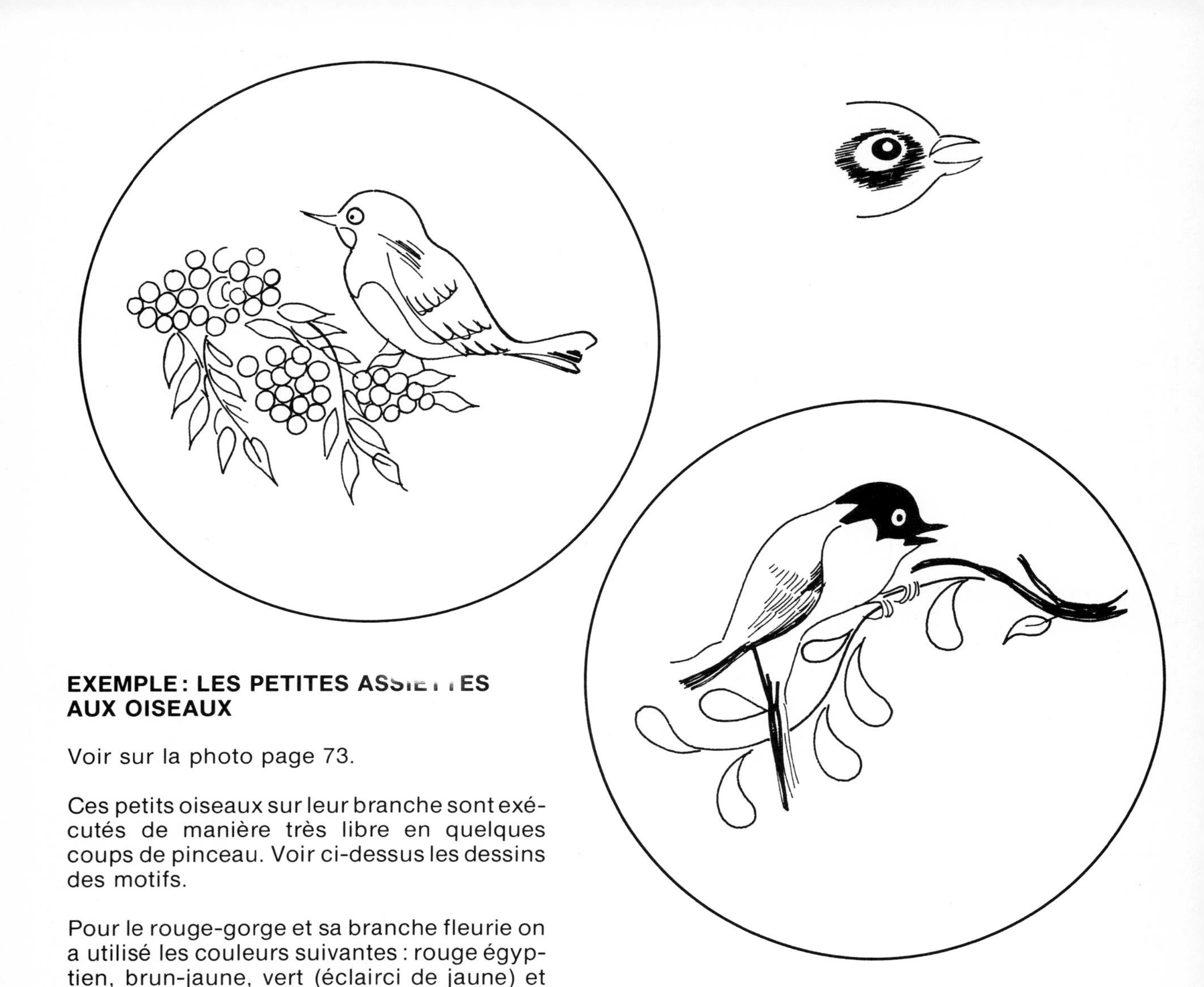

EXEMPLE : LES PETITES ASSIETTES AUX OISEAUX

Voir sur la photo page 73.

Ces petits oiseaux sur leur branche sont exécutés de manière très libre en quelques coups de pinceau. Voir ci-dessus les dessins des motifs.

Pour le rouge-gorge et sa branche fleurie on a utilisé les couleurs suivantes : rouge égyptien, brun-jaune, vert (éclairci de jaune) et noir.

Quelques fins traits noirs précisent le bec, l'œil, l'aile et la queue de l'oiseau.

Les quelques grappes de fleurs sont faites de coups de pinceau en rond, plus ou moins chargé de couleur pour donner du volume à la grappe.

Pour le bouvreuil on a utilisé du vert de gris, du brun (branche), du carmin léger et du noir.

Pour les 2 oiseaux, veiller au bon emplacement de l'œil qui donne vie à l'animal ; laisser un peu de blanc autour de la touche noire qui forme la prunelle et réserver un petit point blanc qui donne la brillance (voir croquis de détail agrandi). Ce dernier peut aussi être gravé avec un objet pointu.

Voir également les grandes assiettes avec décor d'oiseaux présentées page 103.

LES PAPILLONS

Les papillons merveilleusement peints à différentes époques, tel le "service aux papillons" de Nyon au XVIIIe siècle, nous procurent un thème de décor particulièrement adaptable à la porcelaine.

Les différentes formes et positions de l'insecte, ses couleurs diaprées et sa légèreté séduisent le décorateur dont la main devra être particulièrement subtile pour jouer avec la transparence des tons.

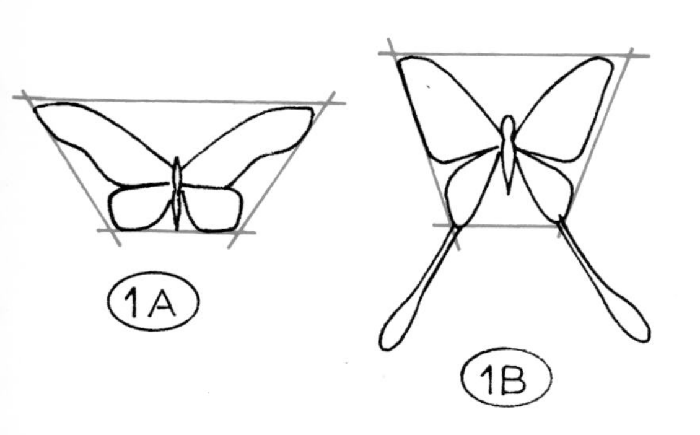

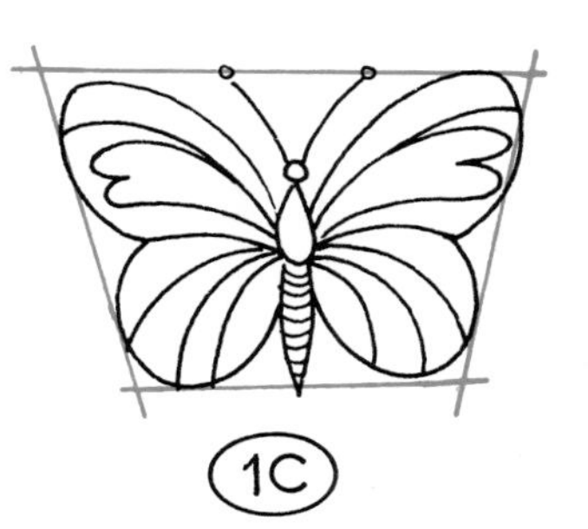

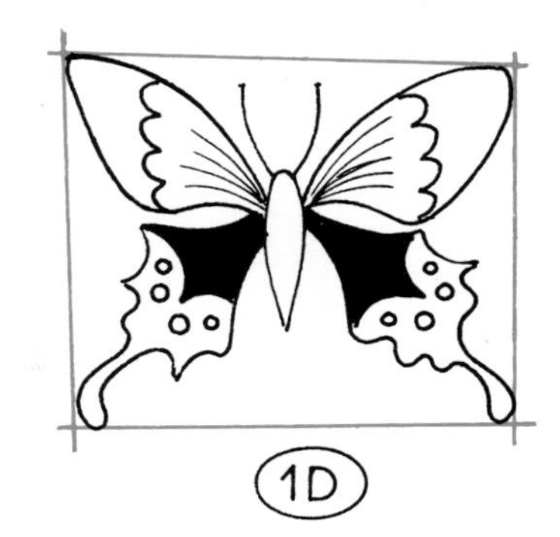

Si le papillon est de face, veiller à la symétrie des ailes en indiquant les axes au crayon (1 A, B, C et D).

S'il est de profil, tracer la forme dans laquelle il peut s'inscrire (2 A et 2 B).

Tous, selon la technique choisie, peuvent être tracés à la plume et peints ensuite, ou peints directement sans contour.

Le décor peut se composer d'un seul papillon ou de plusieurs dans différentes positions ; fleurs ou herbes le compléteront éventuellement.

LE PAYSAGE

Il tient une grande place à travers les siècles dans les collections des diverses manufactures.

Apparemment difficile, traité à la manière des gravures anglaises ou des peintures de Watteau, il rebute parfois les débutants, qu'il soit réalisé "en plein", en médaillon ou en terrasse (*). Néanmoins, rien ne vous empêche d'entreprendre un décor à votre mesure et pour votre plus grande satisfaction.

Un dessin, une aquarelle ou une photo que

(*) Paysage réalisé avec des plans successifs (1er plan, 2e plan, 3e plan, etc.) très distincts les uns des autres.

CARREAUX DE DELFT.

vous aimez seront source d'inspiration ; un carreau peint de Delft par exemple, fera un excellent modèle pour débuter. Les différents motifs de toile de Jouy ou les illustrations de paysages naïfs ne manquent également pas de charme (voir exemples ci-contre).

Pour s'essayer au décor-paysage une surface plane est conseillée (une forme très bombée le déformerait) : assiette, plaque, flacon carré, cendrier...

Commencer la réalisation par faire un dessin ou en utilisant un poncif.

TOILE DE JOUY

Un tracé maigre à la plume pourra cerner le contour mais n'est pas indispensable.

Peindre le ciel en premier est préférable. Il doit être très léger.

Avec ou sans contour, les différents plans doivent être modelés avec soin pour donner l'impression de profondeur ; le premier sera plus soutenu et plus détaillé.

Pour certains paysages, 2 cuissons peuvent être utiles : l'une après la pose du ciel et des différents plans, l'autre après toutes les précisions apportées dans un panorama plus fouillé.

EXEMPLE : LA MAISON DE CAMPAGNE SUR PLAQUE EMAILLEE

Voir sur la photo ci-contre.

Quel plaisir de reproduire ainsi votre maison ou celle d'amis chez qui vous avez passé des vacances.

MATERIEL PARTICULIER

- *Une plaque émaillée de 13 cm x 18 cm.*
- *Couleurs : rouge égyptien, bleu outremer, vert Empire, vert chrome, jaune d'or, brun-jaune, brun bitume, gris ou carmin (facultatif).*

● *Essence de térébenthine et essence grasse.*

● *Pinceaux : grain de blé, pinceau décor et pinceau repique.*

Tracer légèrement le dessin sur la plaque.

Avec un bleu léger et transparent, peindre le ciel : on pourra y ajouter un peu de gris si on le souhaite à moins que l'on préfère le carmin (un soupçon).

Selon la maison, les couleurs du toit, des murs, des volets varieront. A vous de les rechercher.

Le sol est réalisé avec un pinceau grain de blé en plusieurs tons de vert-jaune, vert chrome et brun-jaune, posés en larges touches.

Les arbres au contraire ont un feuillage fait de petites touches posées délicatement en plusieurs valeurs ; les claires d'abord, les

plus foncées ensuite. Ne pas oublier la transparence de la peinture.

Les troncs seront en brun bitume plus ou moins dilué.

Avec un pinceau à repique donner, après séchage, les derniers détails en tons plus foncés sur les divers éléments.

Un tel décor peut être exécuté en camaïeu carmin, bleu, gris ou vert...

A noter que les plaques décoratives de ce genre peuvent, traitées en style divers, être le support de nombreux thèmes :

Paysages du XVIIIe siècle ;
Scènes de chasse ;
Personnages de toute époque ;
Animal préféré ;
Illustration enfantine ;
Reproduction d'estampe japonaise, etc.

Posées sur un petit trépied ou bien encadrées, elles peuvent être considérées comme un véritable tableau que vous serez fier d'avoir réalisé.

CHINOISERIES OU JAPONAISERIES

La finesse des motifs est toujours très appréciée et convient particulièrement au décor sur porcelaine.

Personnages, paysages, fleurs et oiseaux exprimés avec une grâce exquise, fourniront une multitude de modèles plus ou moins difficiles à reproduire.

Pour faciliter l'exécution du décor, nous aurons souvent recours au tracé à la plume (maigre ou gras) qui permettra de rendre la finesse exigée. Les couleurs seront en général employées avec beaucoup de légèreté.

EXEMPLE : LA JAPONAISE, GROS CENDRIER CARRE

Voir sur la photo ci-contre.

Le décor d'inspiration japonaise qui orne le fond du cendrier est entouré de 2 larges bandes, soulignées de filets dorés. Cet entourage, qui demande plusieurs cuissons, est facultatif.

MATERIEL

- *Plume et pinceau grain de blé.*
- *Couleurs diluées à l'eau et au sucre : noir et rouge égyptien.*
- *Couleurs diluées avec les essences : jaune d'or, brun-jaune, noir, bleu, rouge égyptien, vert de chrome, brun bitume.*
- *Or.*
- *Pour l'entourage : pinceau large et putois (ou mousse), pinceau à filet.*

En s'inspirant du motif donné page 80, faire le dessin directement ou au calque.

Diluer le rouge égyptien avec l'eau et le sucre ; avec la plume, tracer le visage et le bras.

Avec le noir retracer tout le reste du dessin.

Avec les couleurs diluées aux essences, peindre chaque partie du sujet avec les couleurs correspondantes, en utilisant le pinceau grain de blé.

Le visage et le bras seront peints légèrement avec un peu de rouge égyptien très dilué et très gras ; le pinceau sera essoré préalablement sur un petit chiffon.

La chevelure doit être très noire. Il sera peut-être utile pour l'obtenir de procéder ainsi : passer une première couche, mettre à sécher

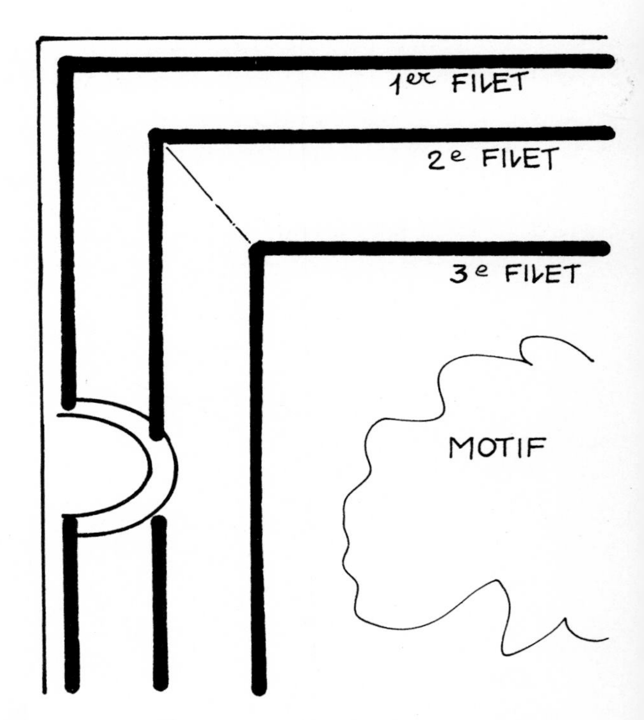

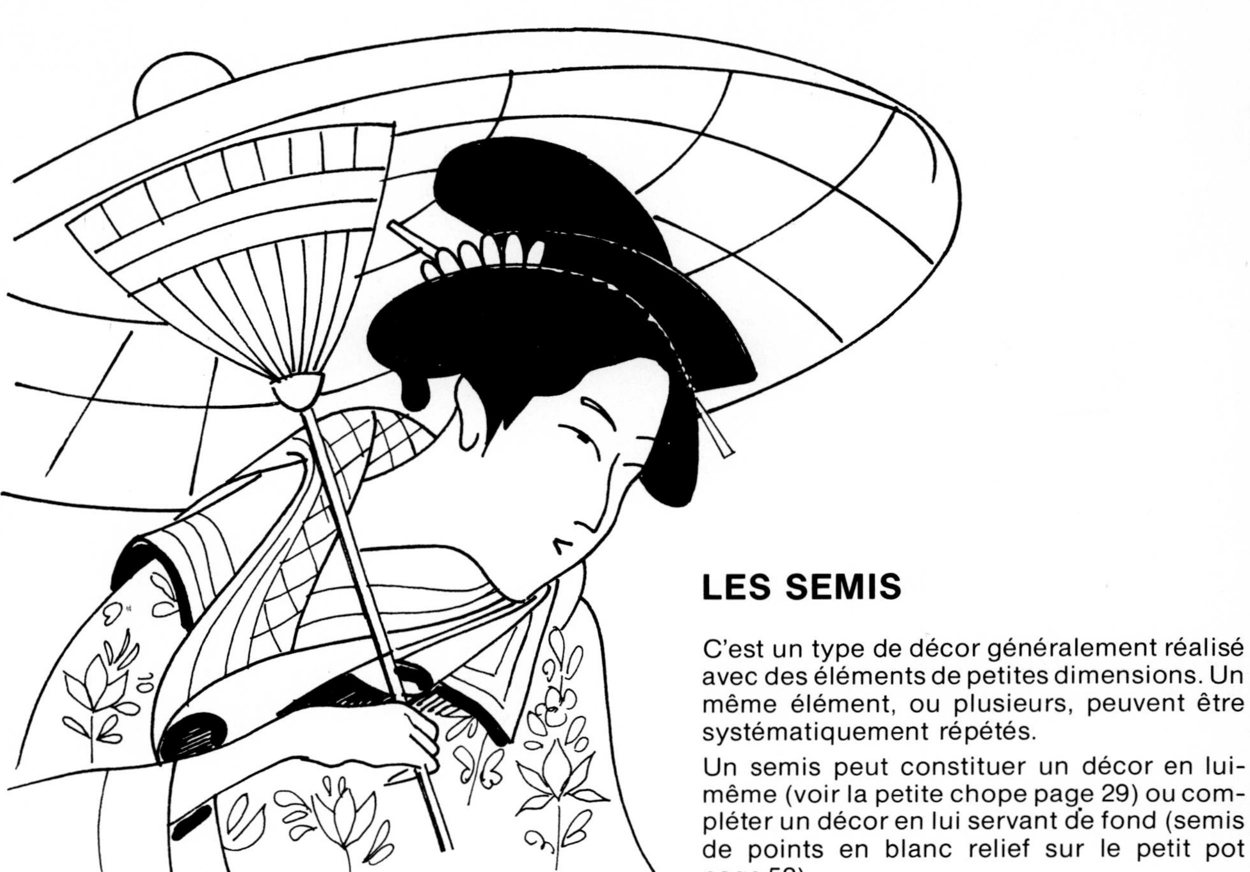

(four de cuisinière) et après complet refroidissement passer une 2e couche.

Attention à l'excès de peinture qui entraînerait l'écaillage !

Si vous utilisez de l'or pour l'entourage, les ornements de la coiffure seront peints en or également. Dans le cas contraire, remplacer l'or par un brun-jaune léger.

Si vous souhaitez peindre l'encadrement, il est préférable de faire auparavant une première cuisson de la "japonaise".

Pour la large bande intérieure, passer un fond avec un large pinceau chargé de brun-jaune et putoiser.

Bien nettoyer avec un chiffon et faire la bande supérieure en brun bitume.

Après cuisson à 800°, faire les 3 filets en or (voir croquis page 78) et une nouvelle cuisson aux environs de 700°.

LES SEMIS

C'est un type de décor généralement réalisé avec des éléments de petites dimensions. Un même élément, ou plusieurs, peuvent être systématiquement répétés.

Un semis peut constituer un décor en lui-même (voir la petite chope page 29) ou compléter un décor en lui servant de fond (semis de points en blanc relief sur le petit pot page 52).

Pour préparer le décor, utiliser un quadrillage exécuté au crayon qui permettra de situer très régulièrement les éléments (1).

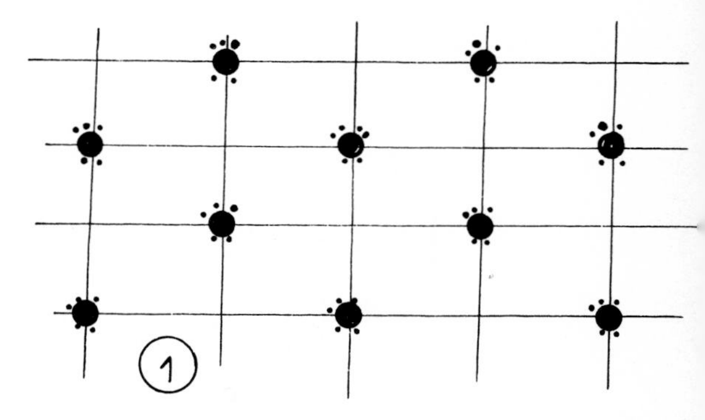

Ces semis seront exécutés à la plume (en tracé maigre ou gras) ou au pinceau fin, en fonction de l'effet que l'on veut obtenir ou du motif choisi. On peut aussi comme on l'a vu ci-dessus l'exécuter en blanc-relief.

Les croquis ci-contre donnent quelques idées de motifs pour semis.

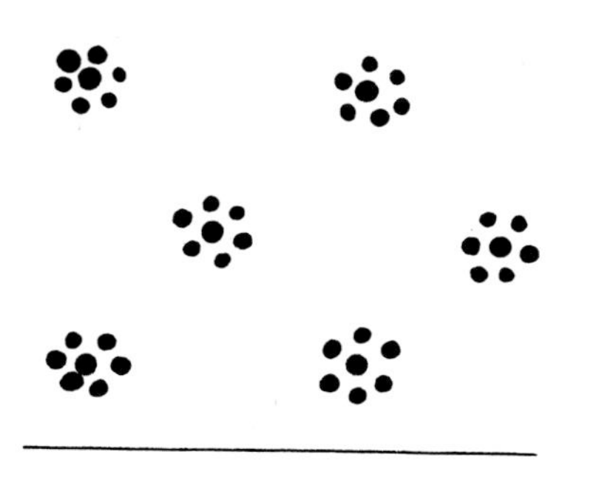

DECOR "MILLE FLEURS"

Très joyeux, il permet toutes les fantaisies. Néanmoins, il demande d'être exécuté selon un rythme choisi avec minutie, en utilisant des couleurs harmonieuses et des pinceaux très fins.

Avec un crayon Stabilo bien taillé, indiquer par un point le cœur des fleurs d'une couleur.

5 petits points déposés délicatement tout autour formeront une première fleur.

Une nouvelle série de petits points sera le départ d'une nouvelle espèce de fleur de couleur différente (1).

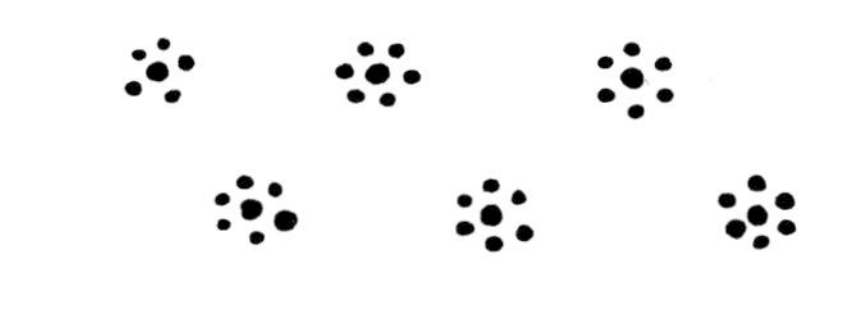

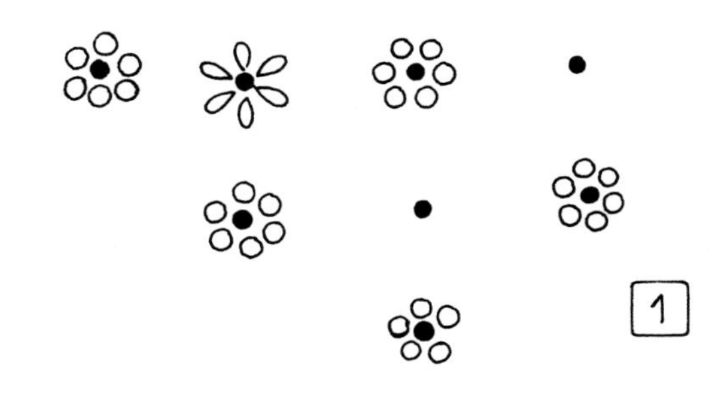

1

Les variétés peuvent être nombreuses et seront complétées par des feuilles de plusieurs tons (2 et 3 page 82).

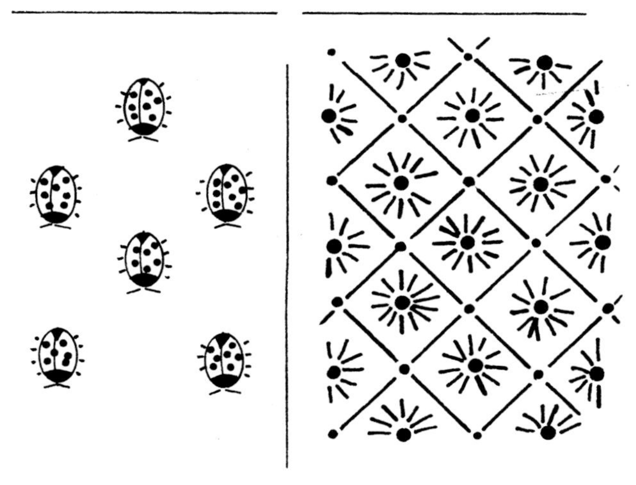

2

Ce décor s'inspirant de certaines impressions sur tissus (Laura Ashley, par exemple peut être réalisé en une seule couleur avec la même espèce de fleur (4).

Dans cet esprit il peut être amusant de coordonner des pièces de vaisselle (et même tout un service) avec une nappe de ce style.

GALONS ET DENTELLES

Les galons et dentelles fournissent une mine inépuisable de motifs, aussi riches que variés. Les modèles de broderie permettent également de décorer la porcelaine avec grand raffinement. Il suffit seulement de savoir observer ces sources inépuisables, en extraire les divers éléments, et les adapter, si besoin est. Du simple "croquet" aux dentelles les plus fines, il y a beaucoup dont on peut tirer profit !

Les quelques croquis ci-contre en donnent des exemples. Voir également le plat à tarte et sa pelle, décorés d'un motif de dentelle et déjà décrits page 46.

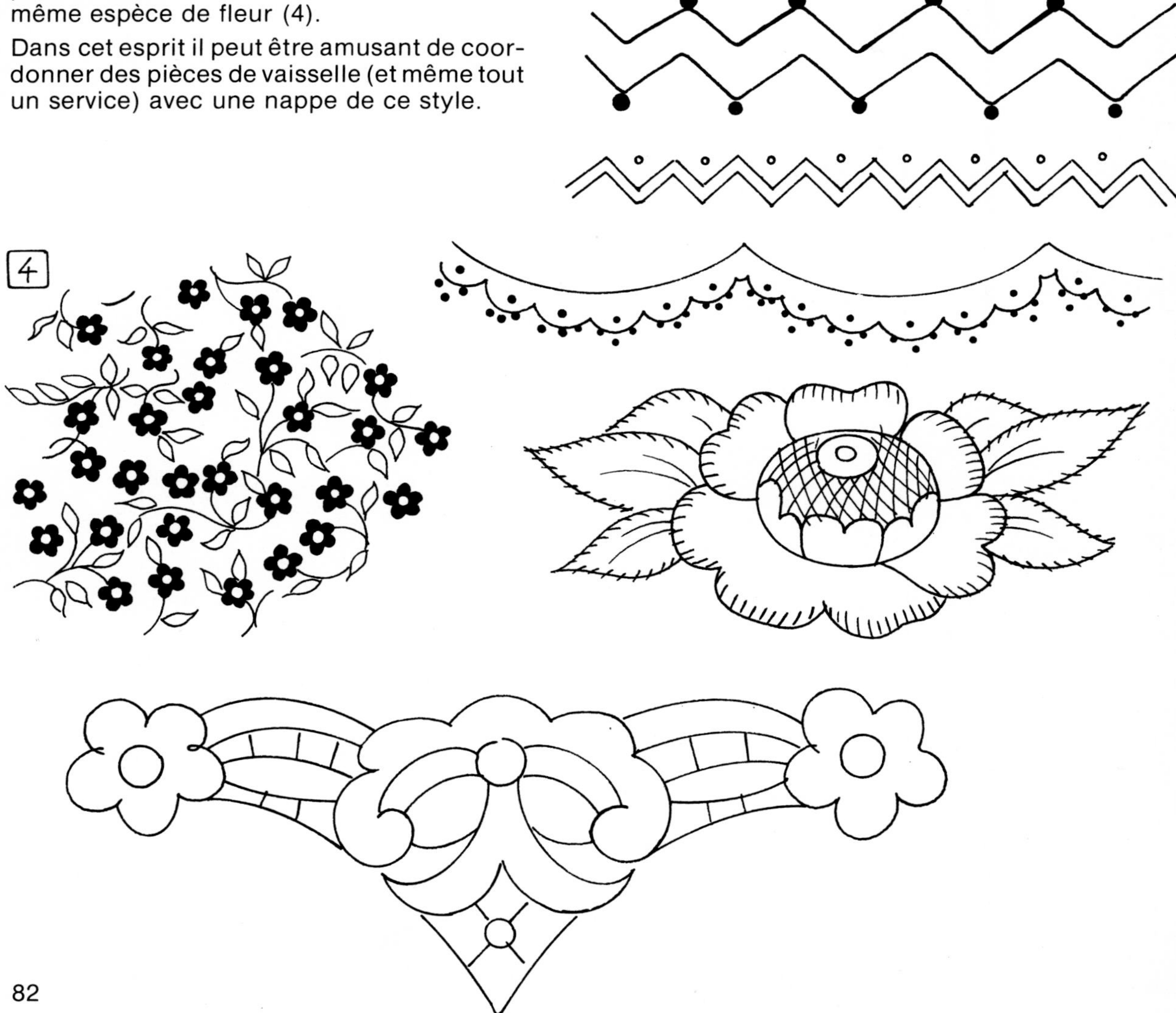

LES BORDURES

Elles peuvent à elles seules composer un décor (voir l'assiette aux cerises page 95), ou simplement le compléter (voir ci-dessous).

Les motifs en sont infinis ; on les retrouve aussi bien dans les décors de style que dans les décors modernes. Voir quelques exemples donnés ci-contre et page 86.

A noter que la bordure "dent de loup" du croquis 1 est couramment employée et généralement exécutée à l'or.

Les bordures se réalisent aussi bien à la plume (tracé maigre ou gras) qu'au pinceau ; pour les plus complexes, les 2 techniques sont associées.

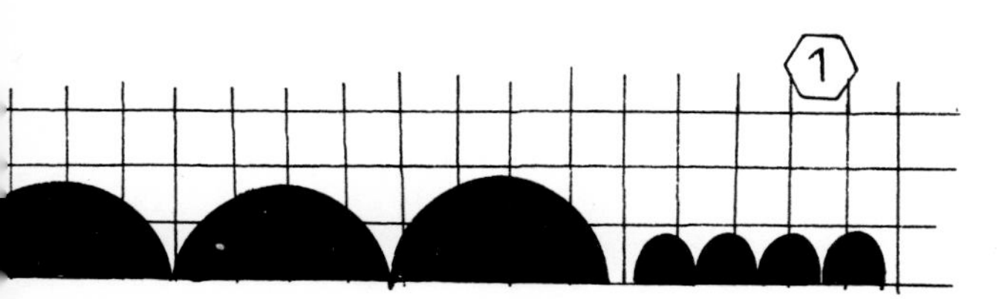

EXEMPLE : LA COUPELLE HEXAGONALE

Voir sur la photo page 85.

Le motif floral central prend toute sa valeur, grâce à la richesse de la bordure (2).

Le contour des arabesques et des points est exécuté à la plume en tracé maigre, l'intérieur est peint en carmin léger, et le fond en vert Empire assez dilué.

Voir également l'assiette et le plat photographiés page 85.

Ici aussi le contour des motifs est exécuté à la plume en tracé maigre avec du brun-bitume.

Le remplissage est en rouge égyptien et en vert Empire.

Voir ci-contre quelques exemples de bordures. Certaines étant assez complexes à exécuter, nous donnons page 84 en croquis les différentes étapes de leur tracé.

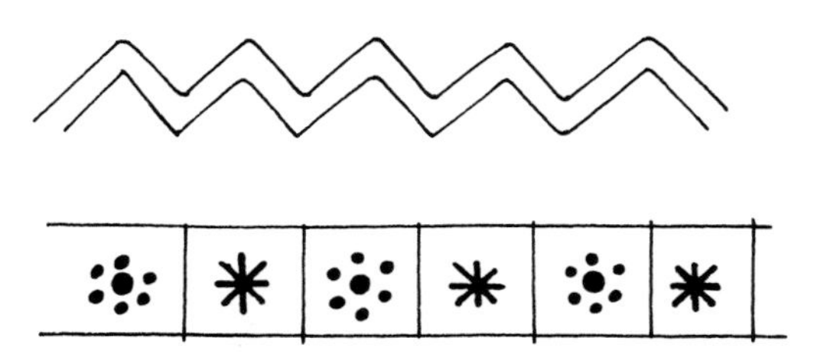

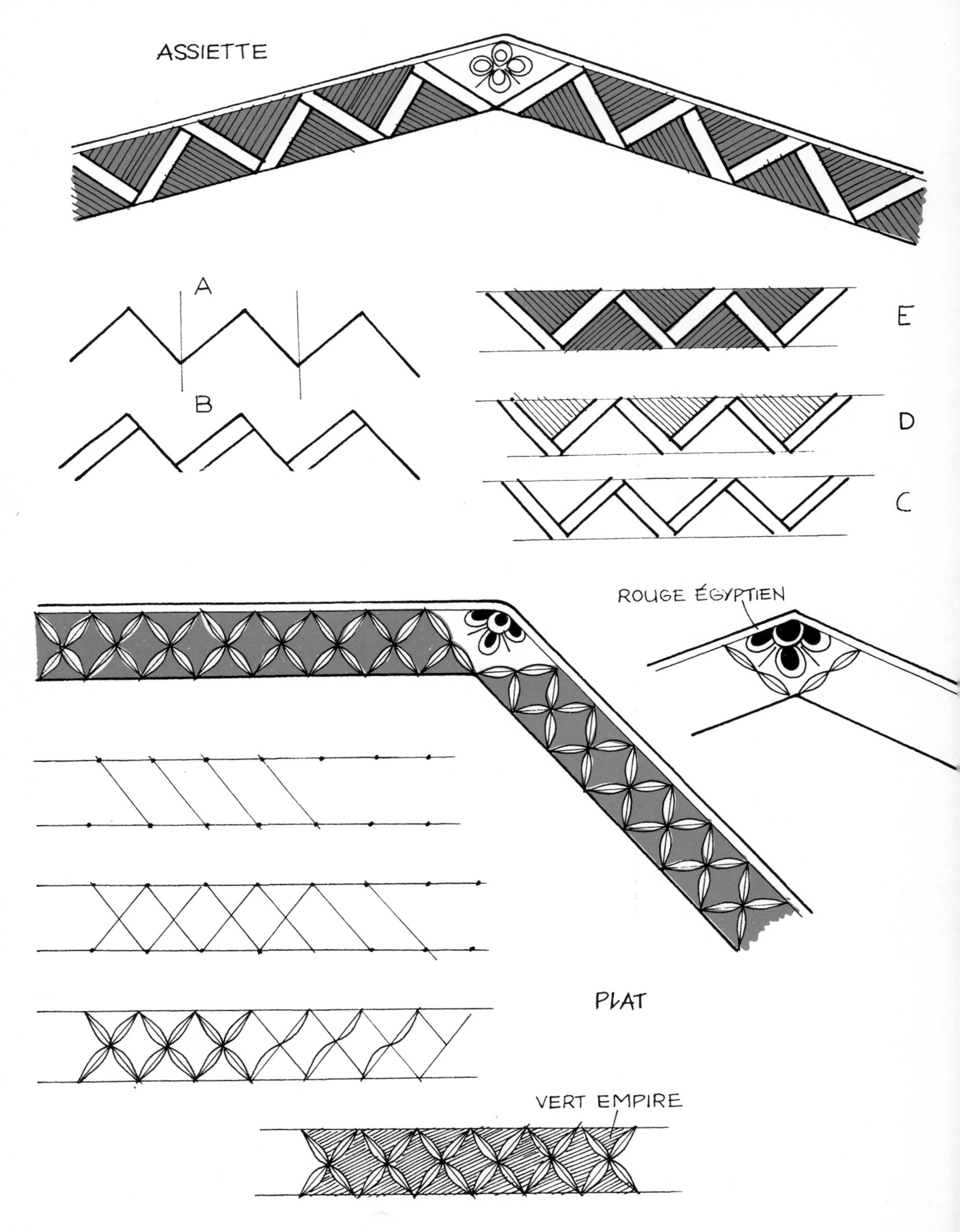
ASSIETTE
A
B
E
D
C
ROUGE ÉGYPTIEN
PLAT
VERT EMPIRE

OP

DECORS ENFANTINS

Il ne faut pas les oublier car tout enfant sera ravi d'avoir son assiette, bol, coquetier ou autre objet avec un charmant décor qu'il aime !

Les sources d'inspiration sont multiples : ses initiales, ses livres illustrés, ses héros préférés, les paysages naïfs... et les quelques exemples que nous donnons ici.

PLATEAU
DESSOUS DE PLAT
TABLE

d'autres idées de réalisations

LE CENDRIER AU LOTUS

Voir sur la photo page 65.

Ce petit décor très simple peut s'adapter facilement à divers objets : cache-pot, vase, assiette, cendrier... Il se réalise avec de larges touches modelées.

MATERIEL

- *Couleurs : carmin, jaune, vert, brun-jaune.*
- *Essence de térébenthine et essence grasse.*
- *Pinceau grain de blé.*

Avec le pinceau grain de blé, exécuter chaque pétale d'un coup de pinceau chargé légèrement de carmin, partir de l'extrémité vers le centre et commencer par les pétales du milieu.

La feuille est réalisée avec le même pinceau, en couleurs mélangées : jaune et vert chrome ; du brun-jaune la souligne.

Quelques taches plus foncées seront placées dans le bas.

MINIATURES, CŒURS ET PETITES BOITES...

Voir différents exemples sur les photos des pages 29, 37 et 65.

Ils sont réalisés selon les différentes techniques : manière traditionnelle avec cuisson à 800°, émail à froid, émail à l'eau avec passage dans un four de cuisine, décalcomanie.

Ces "petits objets" permettent de nombreuses variantes, de la boîte "première dent" à celle très recherchée du collectionneur, du décor de style au décor humoristique.

A chacun le sujet qui lui convient et qui fera plaisir, tant par l'intention qu'il veut exprimer que par la discrétion qu'il témoigne.

Un four à émaux peut être utilisé pour la cuisson, leur taille convenant parfaitement à sa capacité restreinte.

LES CARREAUX DE FAIENCE EMAILLEE

Les carreaux décorés font partie de l'art populaire dont les sujets variés donnent mille idées. Si dans certains pays ils sont utilisés pour les revêtements muraux en grandes surfaces, ailleurs ils ont été conçus pour bien d'autre usages, et ce avec beaucoup de goût et d'originalité.

Les carreaux se trouvent facilement dans le commerce, en différentes tailles : 10, 15 et 20 cm de côté étant les dimensions les plus courantes.

Individuellement, ils peuvent devenir tableautin ou dessous-de-plat, en nombre ils agrémenteront cuisine ou salle de bains (voir page 88). Assemblés, ils peuvent former un panneau décoratif tels les célèbres décors de Delft.

Pour une grande quantité d'un même décor, ayez recours au poncif qui vous permettra de reproduire facilement et exactement le même dessin.

Pour exécuter un motif d'ensemble, faire le dessin complet en le quadrillant à la dimension des carreaux ; le reporter sur les carreaux de faïence maintenus ensemble par des bandes adhésives que vous retirerez avant la cuisson. Les motifs d'angle permettent de relier les différents motifs en créant une unité de décor.

Pour les carreaux uniquement décoratifs, utiliser la couleur émail à froid (voir

page 28) ; elle convient particulièrement pour peindre sur des carreaux déjà posés.

Voir en exemple **le carreau** photographié page 91, dont nous donnons ci-dessus le dessin.

Le motif central est cerné d'un tracé gras, les petits motifs des angles sont peints directement. Ces derniers permettent un agréable raccordement des carreaux comme on peut le voir sur le croquis ci-contre.

MOTIF D'ANGLE

ASSIETTE BORDEE : POMMES ET CERISES

Voir sur la photo page 95.

Cette bordure d'une seule couleur — ici rouge égyptien — ornera marli (*) d'assiette, haut de bol ou tout autre objet.

MATERIEL PARTICULIER

- *Couleur : rouge égyptien.*
- *Pinceau à décor.*

Nous donnons au croquis 1 le motif de base : une pomme et 3 cerises avec leurs feuilles.

(*) Marli : bord intérieur d'une assiette ou d'un plat.

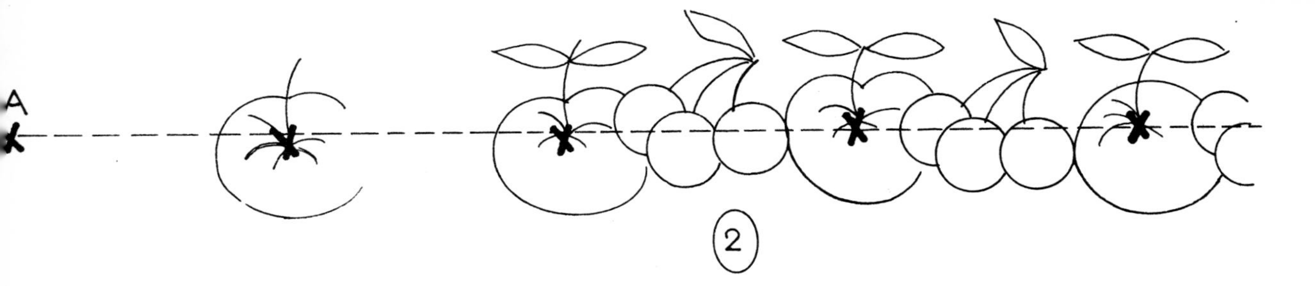

Selon la forme de l'objet à décorer ce motif sera utilisé en bande droite (2) ou en bande légèrement arrondie (3). Remarquer les légères différences, c'est là un exemple simple d'adaptation d'un décor.

Pour faciliter la mise en place, faire un trait de crayon pour indiquer le milieu de la bande (2).
Selon la dimension de l'objet, partager cette bande en 10, 12 ou 14 parts égales en indiquant un point qui sera à chaque fois le milieu de la pomme (A croquis 2).

Exécuter le motif avec un pinceau chargé de couleur diluée à l'essence. Le trait doit être le plus régulier possible et légèrement plus épais sur tout le contour extérieur (3).

Pour décorer un bol, tracer tout d'abord 2 lignes qui indiqueront la largeur de la bande dans laquelle s'inscrira la bordure, puis la ligne du milieu, et continuer comme ci-dessus.
Si vous souhaitez obtenir un décor plus fin, remplacer le pinceau par le porte-plume et utiliser une peinture un peu plus liquide, mais toujours diluée à l'essence (la peinture au sucre étant moins résistante en cas de lavages très fréquents).

LE PETIT ENCRIER

Voir sur la photo page 65.

C'est évidemment un objet un peu rétro et guère utilisé de nos jours, mais avec sa guirlande de fleurettes roses et ses feuillages en 2 tons de verts, il peut faire un charmant bibelot de vitrine.
Ce même décor peut être utilisé pour une bordure d'assiette, de tasse à café et de bien d'autres objets.

MATERIEL

- *Couleurs : rouge carmin, jaune, vert Empire, noir.*

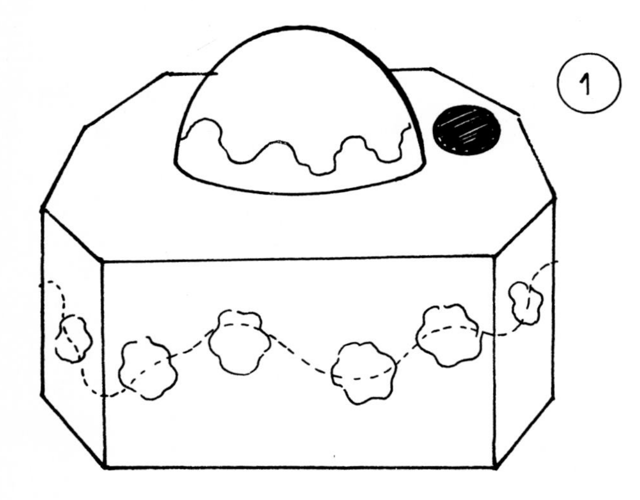

● *Pinceau grain de blé, et pinceau décor.*

Tracer au crayon les 2 lignes qui délimitent le décor, la ligne sinueuse qui guidera le mouvement de la guirlande et les ellipses qui contiendront les fleurs (1).

S'inspirer éventuellement des croquis 2 (la base de l'encrier) et 3 (le tour du bouchon).

Préparer avec soin le carmin sur la plaque. C'est une couleur difficile à travailler : n'hésitez pas à bien la triturer.

Avec le petit pinceau grain de blé, peindre les 8 pétales sans reprendre de couleur. On obtient ainsi des pétales foncés et des plus pâles qui feront "tourner" la fleur.

Préparer le vert-jaune en mélangeant un peu de poudre vert Empire à la poudre jaune. Faire les feuilles rondes sortant de dessous les fleurs.

Préparer le vert Empire et avec le pinceau décor, faire les tiges et les feuilles longues (de l'extrémité vers la tige).

Préparer le noir et évoquer les étamines par des petits points posés au départ des pétales.

LA BONBONNIERE AUX LISERONS

Voir sur la photo page 91.

Ces liserons s'enroulant avec leurs vrilles s'adaptent facilement aux différentes formes. Ils s'exécutent en général soit en carmin soit en bleu léger.

MATERIEL

● *Couleurs : carmin, vert de chrome, brun bitume.*

● *Pinceau grain de blé, décor, queue de morue et putois (ou mousse synthétique).*

Faire un léger dessin sur le couvercle en s'inspirant du motif donné au croquis 1 page 96.

Préparer la couleur carmin qui doit être longuement malaxée avant l'emploi. La peinture ne devra pas être trop grasse afin de bien se dégrader ; le rose devra aller en effet du ton le plus clair au ton le plus foncé donnant ainsi la forme des pétales et du pédoncule.

A l'aide du pinceau grain de blé, modeler d'abord le pétale de devant puis les autres en faisant un dégradé visible. Voir aux croquis 2 et 3 page 96 le sens des coups de pinceau à

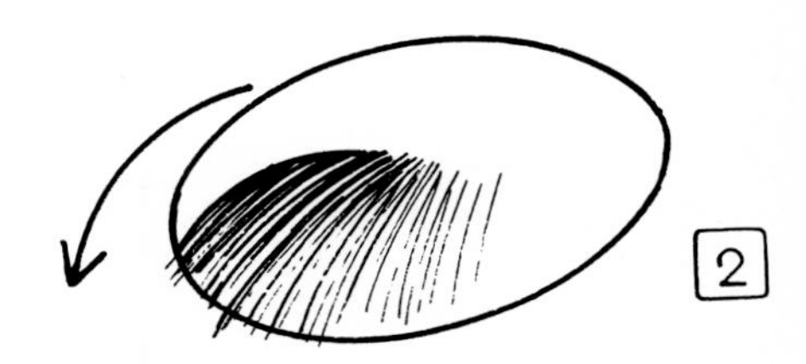

Foie Gras

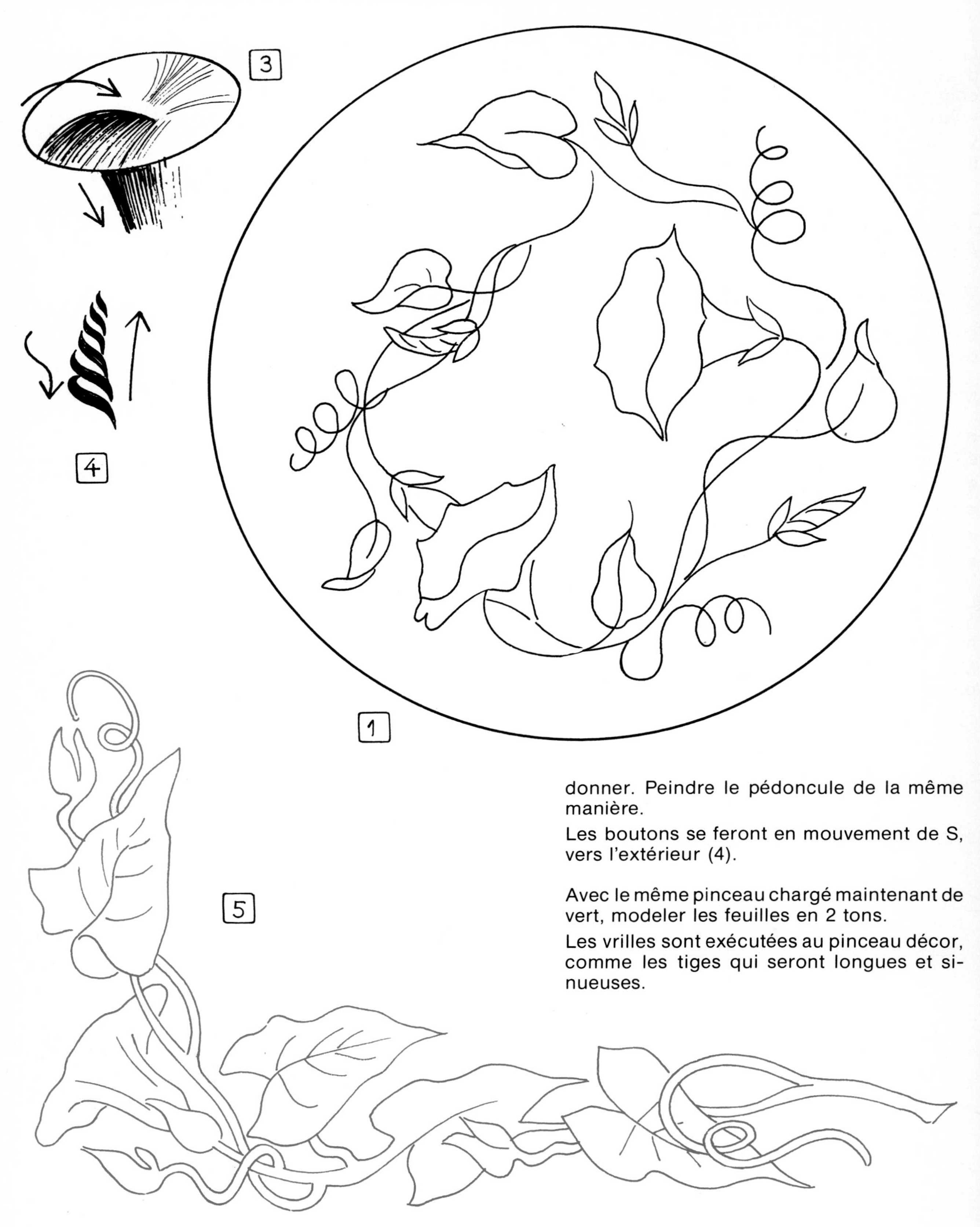

donner. Peindre le pédoncule de la même manière.

Les boutons se feront en mouvement de S, vers l'extérieur (4).

Avec le même pinceau chargé maintenant de vert, modeler les feuilles en 2 tons.

Les vrilles sont exécutées au pinceau décor, comme les tiges qui seront longues et sinueuses.

La base de la bonbonnière sera recouverte d'un fond en carmin très léger passé à la queue de morue puis putoisé, ou réalisé à la mousse synthétique.

Voir au croquis 5 un autre style de ce motif de liserons.

TABLEAUTIN AU PAYSAGE DE NEIGE

Voir sur la photo page 91.

Un petit cendrier carré joliment encadré peut devenir un charmant tableautin.

MATERIEL

- *Couleurs : carmin, bleu outremer, rouge égyptien.*
- *Pinceau à décor.*
- *Putois.*
- *Bâtonnet.*
- *Vernis à réserver (facultatif).*

Le cendrier fait ici 8,5 cm de côté, mais le dessin est facilement adaptable à d'autres dimensions, voire à un carreau ou autre objet.

Mettre le dessin en place au crayon ou au poncif.

Le carmin et le bleu seront employés séparément et puis ensuite ensemble dans leurs valeurs différentes, du foncé au très pâle. Les coloris seront nuancés et nombreux dans une harmonie subtile que complètera un rouge égyptien très léger.

Le bâtonnet permettra de retirer la couleur encore fraîche, en faisant apparaître les flocons, les portes et les fenêtres.

Les toits blancs seront réservés, soit en évitant simplement de les peindre, le bâtonnet pourra aider à préciser le dessin, soit en utilisant le vernis à réserver (voir page 48). Dans ce cas, le poser aussitôt le dessin fait et laisser bien sécher avant de peindre. La pellicule colorée sera retirée en fin de décor.

Quelques petits arbres violets (carmin et bleu mélangés) termineront le paysage.

Le cadre est réalisé avec une superposition de plaques de carton découpées à la grandeur et à la forme exacte du cendrier (en faisant le relevé sur un calque).

Coller ces plaques les unes sur les autres et recouvrir le dessus d'un tissu de couleur assortie au tableautin. Puis coller le tout sur une dernière plaque de carton non découpée.

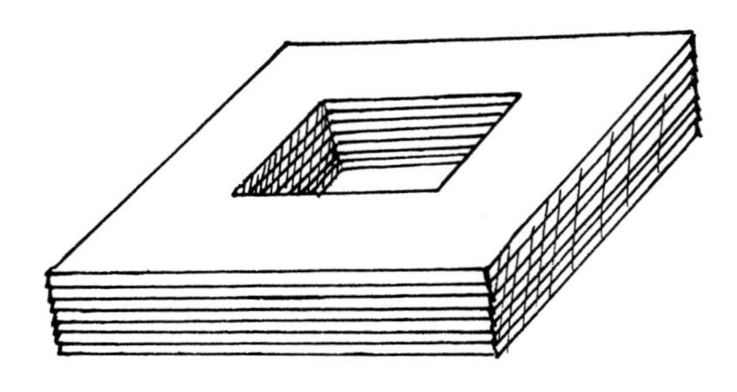

Coller le cendrier dans le creux par le fond et terminer le bord extérieur du cadre en collant un galon sur le chant

LE PETIT POT A FARD

Voir sur la photo page 65.

Facile à décorer, il est néanmoins très précieux ; de gracieuses branches de laurier complètent harmonieusement inscription et

médaillons-paysage exécutés en camaïeu. Ce petit pot fait 4 cm de diamètre pour une hauteur de 3,5 cm.

MATERIEL

- *Petit pinceau grain de blé, pinceau décor et pinceau filet.*
- *Porte-plume.*
- *Couleurs : vert Empire dilué à l'eau + sucre ; vert Empire et pourpre dilués à l'essence, or ou brun-jaune, pourpre.*

Au crayon gras, mettre en place les 2 médaillons-paysage puis les lignes des branches du couvercle et de la base (1 et 2).

Les médaillons (3) sont travaillés en camaïeu pourpre. Utiliser le pinceau décor pour exécuter le paysage avec légèreté dans des valeurs différentes. Le pinceau décor permettra d'en préciser les lignes.

Les cerner ensuite d'un filet exécuté au pinceau décor chargé d'or ou de brun-jaune. Effectuer dans le même temps l'inscription sur le couvercle.

Les feuilles et les nervures sont tracées à la plume en vert (dilué eau + sucre) (4), puis remplies ensuite avec le pinceau grain de blé

chargé légèrement de vert (dilué à l'essence) (5 et 6).

Terminer par les filets faits en pourpre.

CACHE-POT AU DECOR BOUQUETS

Voir sur la photo ci-contre.

Ce décor s'inspire d'un décor ancien. Il se compose de petits bouquets dont les fleurs sont traitées très largement, sans contour et souvent sans repique. Leurs couleurs ressortent d'autant mieux qu'ils sont séparés par une guirlande en zigzag dont les pointes s'ornent d'une marguerite, le tout peint avec un bleu dominant.

MATERIEL

- *Couleurs : carmin, bleu outremer, jaune d'or, rouge égyptien, vert de chrome, brun-jaune et gris.*

- *Pinceau grain de blé, pinceau décor et pinceau filet.*
- *Or (facultatif).*

Au crayon gras, faire la mise en place du dessin (1) en adaptant éventuellement l'écartement de la guirlande suivant la taille et la forme du cache-pot.

En vous inspirant du dessin 2 des motifs et en vous reportant aux explications de la page 66 (coups de pinceaux) peindre directement les fleurs selon leur forme et leur couleur.

A l'aide d'un pinceau grain de blé chargé de carmin très bien préparé, faire les roses dans un mouvement bien arrondi.

Pour les marguerites, un coup de pinceau par pétale suffit, souligné ensuite par un peu de gris ou bleu.

Les feuilles seront de 2 tons : les unes vert de chrome, les autres vert-jaune (vert de chrome et jaune mélangés).

Quelques petites échappées en brun-jaune termineront le bouquet.

Les guirlandes de feuilles en zigzag seront en bleu outremer.

Tracer au crayon la ligne sur laquelle les feuilles s'appuient. Puis au pinceau grain de blé, donner une touche à droite, une touche à gauche, alternativement et le plus régulièrement possible (3).

Quelques filets peuvent souligner ce décor plein de fraîcheur. En or sur le modèle, ils peuvent également être de couleur. Quelques touches préciseront les têtes de lions qui ici tiennent lieu d'anses pour ce modèle de cache-pot.

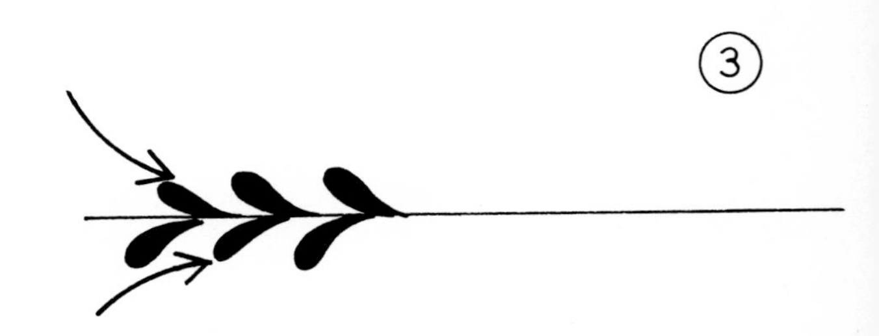

LES ASSIETTES AUX OISEAUX

Voir sur la photo page 103.

Pour réaliser ces décors sur fond pâle, vous pouvez procéder de manières différentes : avec une ou 2 cuissons. Le travail semble plus facile avec 2 cuissons à 800° :

1er temps : faire le dessin, peindre l'ensemble du motif et faire cuire.

2e temps : passer un fond très léger sur le fond de l'assiette et avant que la peinture ne sèche, retirer les débordements qui se seront inévitablement produits sur les décors, et ce particulièrement sur les parties devant rester blanches. Faire une 2e cuisson.

Avec une seule cuisson :

Reporter très légèrement le dessin au crayon. Passer le vernis de réserve sur les parties devant rester blanches. Après séchage, passer le fond.

Retirer les petites pellicules du vernis et peindre le décor.

MATERIEL

- *Une grande plaque de verre avec toutes les couleurs préparées ce qui permettra de mélanger certaines d'entre elles.*
- *Pinceaux : grain de blé, décor et repique, putois ou carré de mousse plastique.*
- *Bâtonnet.*
- *Vernis de réserve (facultatif – pour la méthode à une seule cuisson).*
- *Or mat.*

Selon la première méthode de travail, dessiner le motif à votre choix ou en vous inspirant des 2 dessins donnés page 101 et ci-dessous.

Peindre oiseaux, branches, fleurs, feuilles, sol et seulement après la première cuisson faire le fond.

La bordure sera faite au choix avant la première ou la 2e cuisson.

Les oiseaux
Sur l'assiette A, travailler chaque partie des oiseaux par un léger modelé dans la couleur correspondante : noir et bleu pour la tête, jaune et vert pour le corps, violet pâle (carmin et bleu) pour les ailes de l'un, jaune et brun pour l'autre.

Sur l'assiette B, les oiseaux auront la tête verte et jaune, le corps rouge égyptien ou bleu et vert, les ailes violettes.

Avec le pinceau à repique chargé de noir, indiquer les différents détails du plumage, bec et pattes.

Les branches et les tiges sont réalisées en brun-jaune, souligné de brun bitume.

Les fleurs blanches seront légèrement cernées de gris et rehaussées de pourpre.

Les plantes et les feuilles faites de mélange de plusieurs verts seront repiquées dans un ton plus foncé.

Le sol sera peint au pinceau grain de blé selon les mouvements de sa structure.

Le fond sera réalisé avec une couleur assez grasse faite de carmin et de bleu, mise en très

petite quantité pour obtenir la légèreté souhaitée.

La bordure d'or mat, faite de rinceaux et de peignes souligne la forme de l'assiette.

LA TASSE FOND NOIR

Voir sur la photo ci-contre.

Le fond noir de cette ravissante tasse met le décor en valeur. Utilisant la technique du vernis à réserver, il doit se faire en plusieurs étapes.

MATERIEL

- *Couleurs : noir, jaune, vert Empire, rouge égyptien, bleu, brun-jaune.*
- *Pinceaux à décor, putois ou carré de mousse plastique.*
- *Plume, eau et sucre.*
- *Vernis à réserver.*

Dessiner au crayon spécial le contour des formes. Passer dessus le vernis à réserver.

Après séchage passer au putois ou à la mousse une première couche de fond noir sur tout l'extérieur de la tasse et le tour de la soucoupe.

Faire sécher dans le four de la cuisinière à 150°.

Passer de même une 2e couche de fond noir. Après séchage retirer la pellicule de vernis avec un objet pointu.

Faire un léger graphisme noir à la plume pour préciser le dessin.

Peindre les motifs au pinceau décor selon les couleurs choisies, sans oublier de bien nettoyer l'intérieur, le dessous et l'anse de la tasse, ainsi que le centre et le bord et le dessous de la soucoupe. Aucune trace ne doit rester.

LA TISANIERE "AU PAYSAGE"

Voir sur la photo page 103.

Cet autre exemple de tisanière au décor à la mode 1829 ne manque pas de charme. Il est exécuté d'une façon un peu naïve dans une harmonie de couleurs inhabituelle.

MATERIEL

- *Pinceaux à décor, grain de blé, à petite bande, à filet.*
- *Couleurs : violet, brun-jaune, vert clair et bleu diluées aux essences.*

Après avoir dessiné au crayon, sur la partie inférieure de la tisanière, le cartel contenant le paysage, peindre la ligne brun-jaune qui le délimite avec le pinceau à petite bande. Ainsi on pourra plus aisément recommencer le paysage s'il n'est pas satisfaisant.

Avec le pinceau à décor chargé légèrement de brun bitume, faire quelques lignes du paysage : dénivellation, arbre, pont et bâtiments.

Un pinceau grain de blé chargé de violet permettra de faire le dégradé vertical des murs (voir croquis page 106).

Compléter par les touches de brun-jaune, vert et bleu.

Les rinceaux sont exécutés avec un pinceau grain de blé dans un mouvement incurvé ou en forme de S allongé.

Les pétales des fleurs sont réalisés en alternance de brun-jaune et violet. Chaque coup de pinceau correspond à un ou un demi-pétale se dirigeant vers le cœur.

Compléter le décor par quelques touches de bleu sur l'anse et le bec de la théière et par des filets en brun-jaune, comme pour le modèle précédent.

LE GROS CACHE-POT VERT

Voir sur la photo page 99.

Ce décor accompagne très agréablement une plante et s'intègre aussi bien à un ensemble ancien que contemporain.

MATERIEL

- *Couleur : vert Empire.*
- *Plume, eau et sucre.*
- *Essence de térébenthine et essence grasse.*
- *Pinceaux : grain de blé, à décor, à filet.*

Relever le motif donné page 107. Reporter le dessin au crayon ou au poncif.

Sur le carreau de faïence, délayer un peu de poudre verte avec quelques grains de sucre et de l'eau. Faire le tracé avec la plume.

Sur la plaque de verre, délayer de la poudre verte avec l'essence de térébenthine et de l'essence grasse. Remplir en les modelant : fleurs, oiseaux, papillon et rocher.

Il est très important dans ce décor unicolore, de jouer avec les différentes valeurs pour éviter la monotonie. Le vert sera donc utilisé plus ou moins dilué en faisant des dégradés allant du plus foncé au plus clair. Mais veiller à ne pas mettre la couleur en épaisseur pour éviter qu'elle ne s'écaille.

Les fleurs seront ombrées du cœur vers l'extrémité du pétale (voir croquis) ; oiseau et papillon selon leur forme. Le rocher sera évoqué très légèrement.

Terminer par les filets. Deux petites lignes pourront souligner les oreilles qui servent d'anses au cache-pot.

TISANIERE AU DECOR BLEU

Voir sur la photo ci-contre.

Les tisanières, chères aux collectionneurs, maintiennent au chaud tisanes, thé ou café.

Le décor, sans contour préalable, se fait en une seule couleur bien dégradée, avec les coups de pinceaux adéquats : en rond pour les fleurs et dans le sens des plumes pour les oiseaux.

MATERIEL

- *Couleurs : bleur outremer, un peu de noir.*
- *Pinceaux : grain de blé moyen pour l'ensemble du décor, à décor pour quelques traits plus fins, à filet.*

Faire un rapide dessin, ou un poncif, en s'inspirant des dessins du support et de la théière elle-même ci-dessous et page 110.

Sur la plaque mélanger un peu de poudre noire à la poudre bleue ; diluer avec l'essence de térébenthine et l'essence grasse. Travailler longuement la peinture : votre réalisation dépendra de sa qualité.

En vous reportant au chapitre "Coups de pinceaux", traiter les différentes parties du décor en les modelant suffisamment. Les valeurs claires et foncées donneront de la vie à ce modèle très enlevé qui s'adapte fort bien également à la faïence.

Quelques touches de couleur posées en tailles décroissantes sur le bec et l'anse de la théière, et régulières sur le bouton du couvercle (2) complèteront le décor.

Si vous vous en sentez capable, ajoutez un filet fin autour du bord du couvercle sous les rebords de la théière et du support et un autre un peu plus large à la base. Cela "termine" bien l'objet.

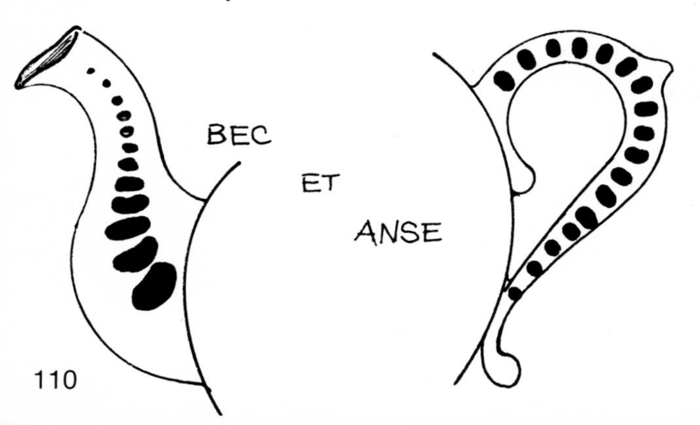

VASE STYLE IMARI

Voir sur la photo page 79.

Les porcelaines fabriquées plus précisément à Arita, au Japon, étaient expédiées du port d'Imari, d'où leur nom célèbre depuis le 17ᵉ siècle.

Les décors sont exécutés en bleu foncé et rouge, rehaussés d'or.

MATERIEL

- *Couleurs : rouge égyptien, noir, bleu outremer.*
- *Or.*
- *Essence de térébenthine et essence grasse.*

- *Eau et sucre.*
- *Plume.*
- *Pinceau grain de blé et 2 pinceaux décor (l'un sera réservé à l'or).*

Faire un léger dessin au crayon sur l'objet choisi en s'inspirant du croquis ci-contre.

Diluer un peu de rouge égyptien avec l'eau et le sucre ; et tracer le contour des fleurs.

Diluer du rouge égyptien avec les essences et modeler les pétales : ceux proches du cœur seront très pâles, les autres d'un rouge plus intense. Du blanc peut être laissé à l'extrémité des pétales pour donner plus de légèreté (voir croquis de détail).

Préparer du bleu foncé en diluant avec les essences du bleu outremer et un peu de noir ; peindre les tiges et les feuilles qui ne sont pas cernées.

A ce stade de décor, faire cuire à 800° environ.

En utilisant le pinceau spécial, souligner à l'or les tiges et les feuilles, en traçant les nervures de celles-ci. Peindre un filet en haut du goulot.

Faire cuire une 2e fois l'objet aux environs de 700°.

LE FRAISIER

Voir sur la photo page 95.

C'est une charmante bordure qui décore cet objet ; elle s'adapte aussi aux assiettes, plats ou objets bombés tels que bols, et pots divers.

MATERIEL

- *Pinceaux grain de blé, à décor, filet.*
- *Couleurs : carmin, rouge égyptien, noir, vert de chrome, jaune, brun-jaune.*

Préparer le dessin d'après la portion de motif donné page 112. Pour le report à l'intérieur d'un objet creux, voir les indications données page 47.

L'exécution sera ensuite facilitée par un tracé préalable à la plume chargée d'une peinture colorée, selon le choix, et diluée à l'eau et au sucre. Il doit être fin et contiendra les couleurs légèrement modelées (voir le décor du confiturier aux framboises page 38).

Ce décor doit être très "transparent".

Les fleurs sont exécutées en carmin dans le mouvement de chaque pétale.

Les fraises sont dégradées en rouge égyptien pour faire ressortir le volume du fruit.

Les feuilles dentelées seront réalisées par la succession de coups de pinceau (voir croquis), les autres par une simple touche. On utilisera les tons vert de chrome, jaune et brun-jaune à mélanger.

Les pistils et les points sur les fraises seront petits et noirs.

Un ou 2 filets verts exécutés sur le bord et le tour extérieur pourront compléter le décor.

LE POT A TISANE

Voir sur la photo ci-contre.

Imité des anciens pots de pharmacie, on adaptera l'ornementation à l'inscription qui est de rigueur. Le décor, composé de motifs floraux très enlevés, est exécuté sans contour. L'inscription est écrite en lettres gothiques, puis peinte en noir.

MATERIEL

- *Couleurs : carmin, bleu, jaune, vert de chrome, brun-jaune, noir.*
- *Essence de térébenthine et essence grasse.*
- *Pinceaux grain de blé, à repique et décor.*

Tisane

- *Pinceau pour or (facultatif).*
- *Or mat (facultatif).*

Sur le pot et son couvercle, faire un dessin léger des fleurs et plus précisément de l'inscription (voir motifs ci-dessus).

Travailler les fleurs avec les couleurs correspondantes en modelant les pétales avec le pinceau grain de blé (pensées et mauves).

Chaque pétale de marguerite est cerné avec le pinceau décor chargé de bleu.

Les feuilles seront de plusieurs tons de vert et repiquées ensuite, ainsi que les tiges.

L'inscription sera exécutée au pinceau décor chargé de noir.

Terminer, si on le veut, en peignant en or le dessus du bouchon et les filets. A défaut d'or, on utilisera un ocre-jaune ou toute autre couleur en accord avec celles du motif.

LA FONTAINE

Voir sur la photo page 117.

Présentée sur un support de bois, cette ravissante fontaine est réalisée dans un décor symétrique, tracé d'abord à la plume et modelé ensuite au pinceau à peindre.

Quelques filets tracés à la plume (ou au pinceau décor) soulignent les parties saillantes des 2 pièces.

MATERIEL

- *Couleurs : rouge égyptien, jaune d'or, vert Empire.*
- *Essence de térébenthine et essence grasse.*
- *Pinceau à peindre (facultatif : pinceau à décor).*
- *Plume à dessin.*

Au crayon gras, tracer les grandes lignes du décor en commençant par l'axe vertical pour établir plus facilement la symétrie.

Ce décor est principalement composé des quelques motifs que nous donnons ci-contre et page 116 : de fins rinceaux garnis de petites feuilles, des guirlandes, des fleurettes disposées en semis.

Préparer le rouge égyptien suffisamment dilué et faire le tracé des guirlandes et des motifs. Mettre à sécher dans le four de cuisine pour éviter que le graphisme ne se dissolve.

Puis remplir au pinceau à peindre l'intérieur des divers éléments : les fleurs seront jaunes avec le cœur rouge ; certains motifs en dégradé de vert et de rouge, ainsi que les feuilles et les pointeaux.

Terminer par les filets rouges et verts.

Pour faciliter le décor, mieux vaut cuire une première fois avant de faire les filets. Cela permet d'effacer sans risque, si on ne les réussit pas du premier jet. Faire ensuite une 2e cuisson.

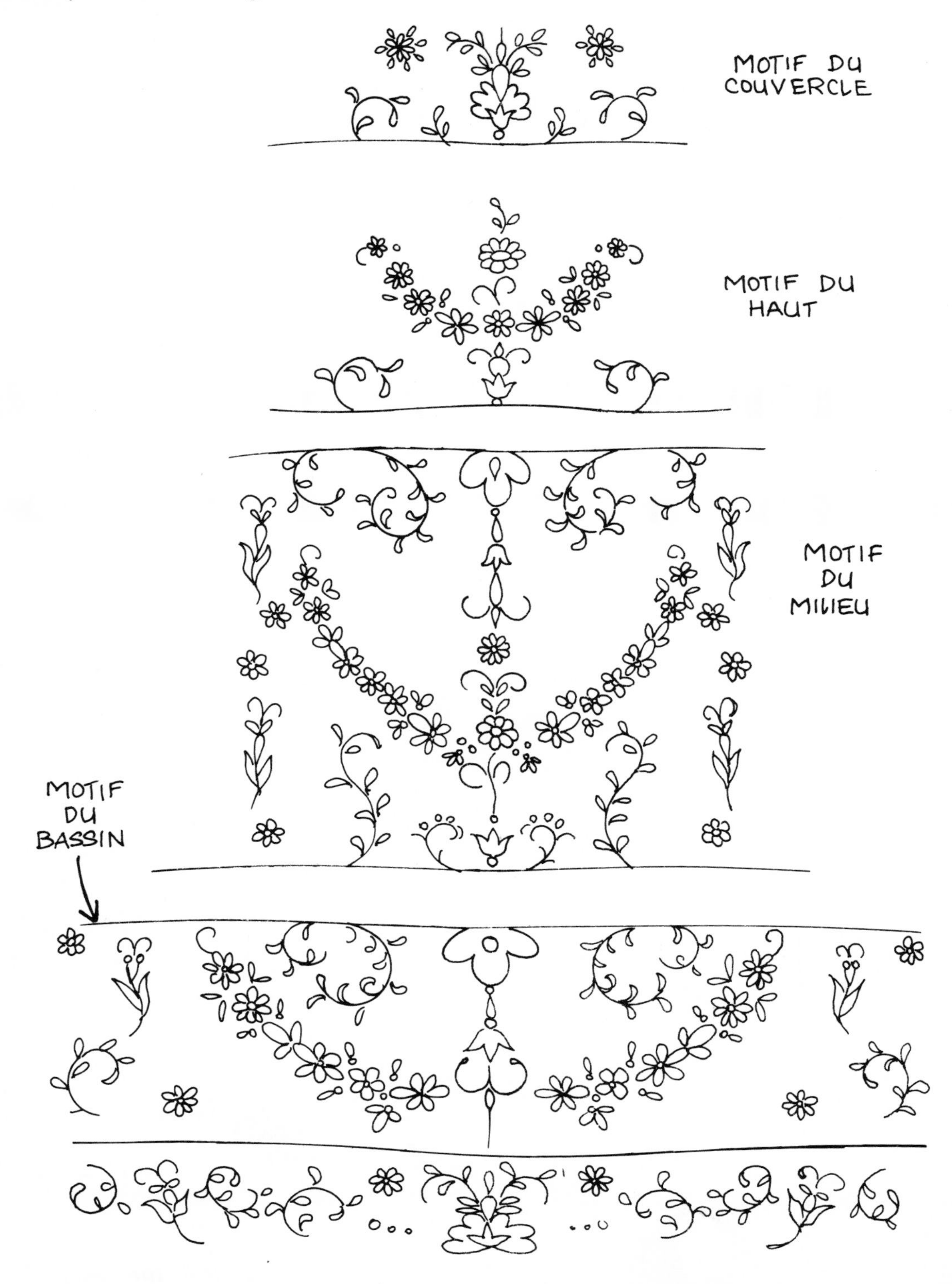

LE GITE-CANARD

Voir sur la photo ci-contre.

Ces terrines en forme de lièvre, sanglier ou faisan permettent de faire cuire et de présenter agréablement sur une table de délicieux pâtés.

Elles peuvent être décorées de façon très différente soit en couleurs discrètes (style japonais), soit en teintes plus vives comme le modèle présenté ici.

Avec le bâtonnet, évider 2 petits cercles pour les yeux peints ensuite en jaune avec la pupille noire.

Le bec sera jaune avec 2 petits traits noirs.

Le dos est exécuté avec le pinceau queue de morue bien propre; passer un brun-jaune fort dilué et assez gras.

Putoiser en allant de plus en plus fort vers la tête (la partie vers la queue doit être plus foncée). Cette peinture posée très légèrement permettra d'apercevoir le modelage des plumes si celui-ci existe dans le moulage.

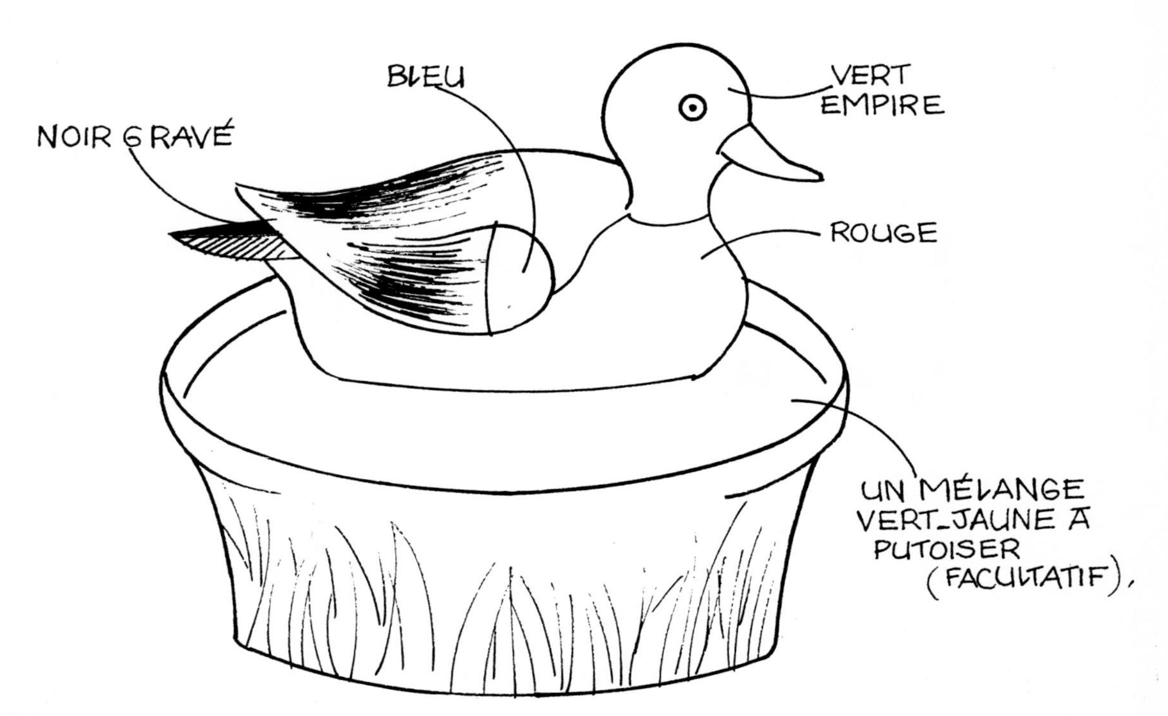

MATERIEL

- *Couleurs: vert Empire, jaune d'or, brun-jaune et brun bitume, bleu outremer, noir et rouge égyptien.*
- *Essence de térébenthine et essence grasse.*
- *Pinceaux: queue de morue et putois (ou mousse synthétique), grain de blé moyen, à décor.*
- *Bâtonnet.*

Pour **la tête,** préparer une peinture vert Empire et la passer avec le pinceau queue de morue, putoiser très régulièrement.

La gorge, dégradée avec le putois en rouge égyptien se fondra avec le brun-jaune du dos, laissant le dessous de la queue blanc.

Les ailes seront décorées de quelques touches de bleu et soulignées de petites lignes exécutées au pinceau décor.

Si vous souhaitez ajouter des détails, mieux vaut cuire avant de continuer: il sera plus facile de manipuler ainsi le couvercle et d'effacer si besoin est.

Pour détailler les plumes (voir croquis page 120). Préparer la peinture noire ou brun bitume.

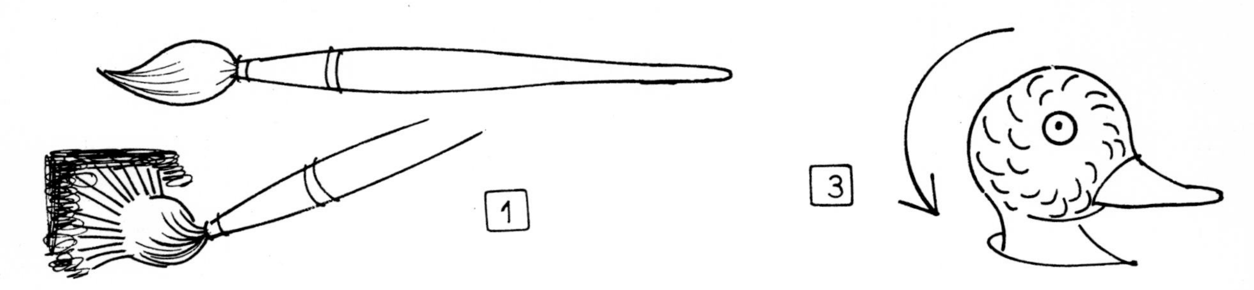

Tremper le pinceau grain de blé en écartant au maximum les poils (1) afin de les déposer en éventail sur le dos ; ils iront en s'amenuisant de la tête vers la queue (2).

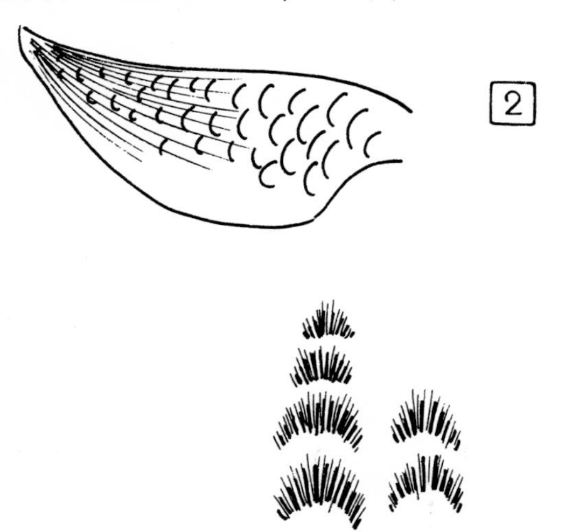

Faire de même pour la tête dans un mouvement circulaire (3).

Quelques lignes fines au pinceau décor souligneront les grandes plumes des ailes et le dessous du corps qui pourra être un peu grisé (4).

Sur le plat du couvercle, un léger putoisage de couleur vert-jaune pourra faire ressortir le canard.

Pour les herbes décorant la partie inférieure, préparer sur une plaque du vert, du brun-jaune et du brun bitume. Avec un pinceau décor, lancer en peignant en de grands mouvements les 3 couleurs ; elles peuvent être utilisées seules ou mélangées.

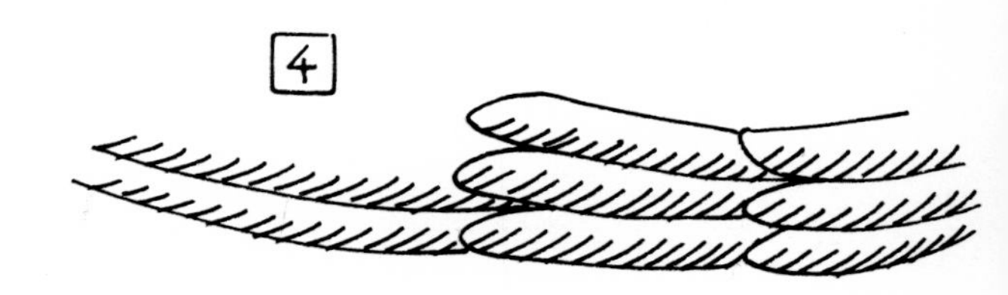

table des matières

Introduction 7
Qu'est-ce que la porcelaine ? ... 7
Rapide historique 8

GENERALITES 9

Le support......................... 10
Le coin travail 10
Matériel 11
Nettoyage des pièces 11
Dessin 11
Préparation des couleurs 11
Décoration 12
Les pinceaux 12
Cuisson 13
Le four à émaux 13
Le four à céramique ou "moufle".................. 14
Matériel d'enfournement.... 14

TECHNIQUE GENERALE 17

Le dessin 18
Dessin direct 18
Report au calque 18
Report au carbone 18
Comment tracer un trait tout autour d'un objet ?............ 19
Le poncif 19

Le tracé 20
Le tracé maigre 20
Le tracé gras 21

Préparation des couleurs et décor .. 21
L'assiette-palette 23

Premiers exercices 24
La goutte........................... 25
La courbe en "S" 25
La courbe en "C" ou "C inversé".... 25
La perle 25

Les décalcomanies 26
Leur emploi 26

Techniques utilisables sans l'emploi d'un four spécial 28
Exemple : le vase aux bambous 28

PREMIERES REALISATIONS 31

L'assiette au visage 32
Les marques fromage 32
Les petites boîtes 35
La boîte fleurs et papillons 35
La boîte aux houx.............. 35
La boîte aux hirondelles 36
La boîte à la petite fille 36
La boîte au décor bleu 36
Le plat rectangulaire à la branche fleurie 38
Le confiturier aux framboises 38
Plat et pelle à tarte 39
L'assiette à bouillie et le coquetier .. 40
Le petit plat à anses et le coquetier . 42

TECHNIQUES EMPLOYEES 43

Les fonds 44
Exemple : les tasses de toutes les couleurs 44
Les fonds diaprés 45
Exemple : le cendrier "feuille de vigne"............... 45
Les bordures mouchetées 45
Exemple : la bonbonnière en forme de cœur.............. 45

L'adaptation du décor 45

Le pochoir 47
Technique 47
Exemple : le petit plat au cheval..... 48

Le vernis de réserve 48

Technique 51
Exemple : le petit plat aux oiseaux .. 51

Le blanc-relief 51

Technique 51
Exemples : le cœur aux oiseaux et le petit pot 51

Le grattage 53

Exemple : le cendrier à la petite chouette gravée 53

Le filage 53

La tournette 54
Le filet cheveu 55
Le filet en bande 55
L'or 56
Exemple : le plat à tarte aux fougères dorées 57

PRINCIPAUX THEMES DE DECOR . 61

Les feuilles 63
Monogrammes ou initiales 63
    Exemple : la petite bonbonnière en forme de cœur 66
Les fleurs 66
    La rose 66
    La tulipe 68
    Les petites fleurs 69
Les oiseaux 72
    Exemple : les petites assiettes aux oiseaux 74
Les papillons 74
Le paysage 75
    Exemple : la maison de campagne sur plaque émaillée 76
Chinoiseries ou japonaiseries 78
    Exemple : la Japonaise, gros cendrier carré 78
Les semis 80
Décor "mille fleurs" 81
Galons et dentelles 82
Les bordures 83
    Exemple : la coupelle hexagonale 83

D'AUTRES IDEES DE REALISATIONS 89

Le cendrier au lotus 90
Miniatures, cœurs et petites boîtes .. 90
Les carreaux de faïence émaillée ... 90
Assiette bordée : pommes et cerises. 92
Le petit encrier 93
La bonbonnière aux liserons 94
Tableautin au paysage de neige 97
Le petit pot à fard 97
Cache-pot au décor bouquets 98
Les assiettes aux oiseaux 101
La tasse fond noir 104
La tisanière "au paysage" 104
Le gros cache-pot vert 106
Tisanière au décor bleu 108
Vase style Imari 110
Le fraisier 111
Le pot à tisane 112
La fontaine 114
Le gîte-canard 118

DANS LA MEME COLLECTION

Série brochée
2. Fleurs en éléments naturels
3. Tissage au doigt
4. La vannerie
6. Lattes de bois
7. Pratique de la teinture végétale
8. Mosaïque de bois
9. Découverte du cartonnage-gainerie
10. Travaux en cuir
11. Le bois peint
12. Tissage pratique
14. Pratique de la peinture sur soie
16. Poterie à la main
17. Floralies de papier/2
18. Travaux en macramé
22. Objets en fils tendus
23. Peinture sur soie/2
25. Animaux en tissu
26. Décors pour tables de fête
28. Peinture sur tissus de coton
29. Plaisir du macramé
30. Fantaisies en clous et fils
31. La frivolité
32. Initiation à la poterie au tour
33. Motifs pour peinture sur tissus
34. Patchwork "rapide"
36. Tapisseries tissées
38. Maisons de poupées et mini-boutiques
39. Poupées de chiffons
41. Linogravure
43. Emaux décoratifs
44. Les encadrements
45. Fleurs naturalisées
46. Pyrogravure fantaisie
47. Cadeaux de naissance
48. Peinture sous verre
49. Motifs modernes pour peinture sur bois
50. Drôles de coussins

Série cartonnée
13. Abat-jour
15. Panneaux en clous et fils
19. Abat-jour tissés
20. Peinture paysanne pour tous
21. Poterie au tour
24. Bateaux et luminaires en fils tendus/
27. Patchwork traditionnel et moderne
35. Crochet en folie
37. Panneaux en peinture sur soie
40. Premières dentelles aux fuseaux
42. Meubles en peinture paysanne
51. Peinture sur porcelaine

DANS LA SERIE 101

de nombreuses idées de travaux manuels variés et de difficulté différente :

110. Les bougies
116. Brins de laine
119. Inventez vos broderies
131. Travaux de feutrine
132. Clous et fils
133. Vive le macramé !
137. Avec des éléments métalliques
138. Jeux de mosaïques
140. Clous et fils/2
141. Poupées de laine, poupées de chiffons
144. Lumière et couleurs
145. Merveilleux polystyrène
146. Des bijoux
152. Travaux en perles
156. Plaisir de la broderie
157. Initiation à la pyrogravure
158. Le métal repoussé
159. Panneaux et décors en laine
160. Jouets en bois
161. Tissages sur métiers de petite largeur
162. Ornements de fête
163. Initiation aux photogrammes
164. Pâte à bois
165. Fleurs en « collants »
166. Feutrine pour la maison
167. Le bois découpé
168** Déguisements improvisés
169** Avec de la laine
170** Marionnettes insolites
171** Travaux en papier
172** Pratique de l'émaillage
173** Inventer ses diapositives
174** Petite vannerie
175** Poterie à la plaque
176** Mobiles solaires
177** Travaux en ficelle
178** Canevas d'aujourd'hui
179** Nouvelles bougies
180** Filer la laine. La teindre. L'utiliser
181** Spectacles de marionnettes
182** L'émaillage à froid
183** Techniques simples pour peinture tous tissus
184** Pliages fantaisie sur le thème de la mer
185** Abat-jour en perles et macramé
186** Villages miniatures

Si vous désirez la liste complète de ces ouvrages, adressez-vous à votre libraire ou faites parvenir votre carte de visite aux Editions Fleurus en mentionnant « Demande documentation sur Fleurus-Idées ».

Achevé d'imprimer le 20 juillet 1984 par POLLINA - 85400 LUÇON
N° d'édition 84054 - Dépôt légal septembre 1984 N° 6247
ISSN : 0248-3602 - ISBN : 2.215.00674-9 - 1re édition